US Library

NEDERLAND WATERLAND
HOLLAND LAND OF WATER

Dit boek is opgedragen aan Hidde en Jitske en alle andere Nederlandse kinderen die er deze eeuw voor moeten zorgen de voeten droog te houden.

This book is for Hidde and Jitske and all the other Dutch children who will have to keep their feet dry during this century.

NEDERLAND WATERLAND
HOLLAND LAND OF WATER

Michiel Roscam Abbing

www.uitgeverijlias.nl

© 2012 Nederlandse tekst: Michiel Roscam Abbing
© 2012 Vertaling: Uitgeverij Lias B.V.

Vertaling: Tessera Translations (Mike Wilkinson, Clare Wilkinson, Ruud Faulhaber)
Vormgeving: Jac de Kok en Marieke van der Schaar
Fotoredactie: Marieke van der Schaar
Tekstredactie: Taal- en tekstbureau Ottevanger
Illustraties: zie fotoverantwoording, blz. 160

ISBN 978 90 8803 023 9
NUR 680

De uitgever heeft ernaar gestreefd de rechten te regelen volgens wettelijke bepalingen. Degenen die desondanks menen zekere rechten te kunnen doen gelden, kunnen zich alsnog tot de uitgever wenden.

Inhoud | Content

Inleiding

Water draagt, voedt, spiegelt, ontspant, borrelt op, verdampt, verzilt, is mooi of gevaarlijk. Er is geen groter onderscheid dan tussen vloeibaar water en vast land. Op land woon je, verbouw je gewassen en laat je het vee grazen. Nederland tart dat onderscheid en dit boek geeft een impressie van het hoe en waarom. In twaalf hoofdstukken, waarin telkens een andere invalshoek is gekozen, wordt in woord en beeld getoond dat Nederland met recht 'Waterland' genoemd kan worden. Nederland is laag, op zee veroverd land, dat dus onder de zeespiegel ligt, land dat bij eb droogvalt, of drassig land, waarin je wegzakt. In Nederland wordt straks niet op land, maar op water gewoond en worden groentes gekweekt in drijvende kassen. Het onderscheid tussen water en land zal verder vervagen door toepassingen die nu nog ondenkbaar zijn.

Tegen vijandige mogendheden heeft Nederland zich verdedigd door land onder water te zetten. Een van de forten van de Stelling van Amsterdam draagt de toepasselijke naam Uitermeer: uit het meer ontstaan. Goed beschouwd is half Nederland uit moeras, meren en zee ontstaan, met de nodige hulp van ingenieuze baggermolens, waterkeringen, dijken, molens en gemalen. In geen enkel ander land heeft het woord 'kustverdediging' de betekenis die het in Nederland heeft: alle maatregelen die moeten voorkomen dat land in zee verdwijnt. Tijden veranderen en moeizaam op zee veroverd land wordt tegenwoordig weer teruggegeven aan de natuur of bijvoorbeeld als recreatiegebied in gebruik genomen. In sommige polders worden de pompen stilgezet om daarna water te bufferen als maatregel tegen klimaatverandering. 'Ontpolderen' is een nieuw woord en zelfs in klimaatverandering zien projectontwikkelaars kansen.

Talloos zijn de rode draden die vanuit het verleden naar het heden lopen. Geschaatst werd er al in de prehistorie. Zeventiende-eeuwse schilders van het Hollandse landschap hebben bijgedragen aan het beeld dat de wereld nu van Nederland heeft. Drommen toeristen komen om nog iets van dat idyllische landschap met eigen ogen te zien: molens, knotwilgen, houten huisjes en grazende koeien in een weiland. Water is een terugkerend thema in kunst en literatuur. Hollandse sporten als zeilen, roeien, polsstokverspringen en wadlopen komen voort uit bezigheden die vroeger alledaags waren, en op zomerse dagen is te zien hoe populair recreëren op het water is. Haring wordt al eeuwenlang rauw gegeten en voor export bestemde kazen hebben hun vorm en kleur behouden.

Introduction

Water supports, nourishes, reflects, relaxes, bubbles up, evaporates and silts up. It can be both dangerous and beautiful. There is no greater contrast than that between liquid water and dry land. The land is where you live, grow your crops and graze your livestock. Holland defies that distinction, though. This book explains how and why, twelve chapters that each take a different perspective, but all demonstrate in words and images why the Netherlands is entitled to call itself a 'Land of Water'. The country is made up of low-lying terrain that has been conquered from the sea and is therefore below sea level, land that is only exposed at low tide, or marshy land that will suck you down. In the future, the Dutch will be living on water rather than on land, and vegetables will be cultivated in floating greenhouses. The distinction between land and water will be blurred further by applications that are as yet inconceivable.

In the past, Holland defended itself against enemy powers by deliberately flooding the land. One of the forts along the Defence Line of Amsterdam bears the particularly apposite name of Uitermeer: literally 'out of the lake'. A good half of Holland's land area arose from swamps, lakes and the sea, helped as necessary by ingenious dredging stations, sea defences, dykes, mills and pumps. There is no other country where the term 'coastal defences' means quite as much as it does in the Netherlands: all the measures that collectively ensure that the country does not get swallowed up by the sea. Times change; land that was claimed with such difficulty from the sea is currently being returned to nature or is now being used for recreation. In some polders, as the areas of reclaimed land are known, pumps are being switched off so that water can be buffered as a measure to combat climate change. A new word has been coined for this in Dutch, *ontpolderen* or 'unpoldering'. Project developers see even climate change as an opportunity.

The themes woven through the tapestry of history connecting the past to the present are innumerable. People have been skating since prehistoric times. Seventeenth-century Dutch landscape painters have helped create the image that the world now has of Holland. Hordes of tourists come to get a glimpse of that idyllic landscape with their own eyes – windmills, pollard willows, wooden houses and cows grazing in the meadows. Water is a recurring theme in art and literature. Dutch sports and pastimes such as sailing, rowing, pole vaulting over ditches and mud flat hiking all derive from what were everyday activities in the past. Recreation on the water is still very popular, as is clear from the crowds on sum-

Nederland is een van de dichtstbevolkte landen ter wereld. Dat stelt hoge eisen aan het beheer van water. Het natte land verdroogt door irrigatie van gewassen, productie van goederen en de behoefte aan huishoudelijk water. Water heeft ruimte nodig, mag niet vervuilen, noch verzilten. De natuur houdt van nat, maar de boer wil het grondwaterpeil juist verlagen om te kunnen maaien en oogsten. Natuurbeschermers botsen continu op economische belangen. De eeuwige strijd tegen het water is steeds meer een strijd met en om water geworden.

Water faciliteert handel en brengt welvaart. Strategisch gelegen aan zee en voorzien van bevaarbare rivieren en veilige havens, was Nederland het vertrekpunt van schepen die de wereld over gingen en verkenden. Het waren ontdekkingsreizen in de dubbele betekenis van het woord: waar is maximale winst te behalen en hoe zien de wonderlijke wereld en haar inwoners er uit? Hollandse bedrijven zijn heden ten dage toonaangevend in waterwerken: van baggerwerkzaamheden tot transport en landaanwinning. Watermanagement is de alomvattende term die kroonprins Willem-Alexander heeft omarmd als exportproduct én middel om ontwikkelingslanden te voorzien van veilig drinkwater en sanitaire voorzieningen. Een beter onderwerp waarmee 'Nederland Waterland' kan worden vertegenwoordigd is eenvoudigweg niet denkbaar.

mer days. The Dutch have been eating their herring raw for centuries and cheeses for export are still the same shape and colour as always.

The Netherlands is one of the most densely populated countries in the world, which means that its water must be managed very carefully. Crop irrigation, production of goods and household water requirements are all draining the wet land of its water. Water needs space, it must not become polluted and it must not silt up. Nature likes things to be wet here, but farmers prefer to keep the water table lower to make mowing and harvesting easier. Conservationists are always clashing with economic interests. The age-old battle against the water is increasingly becoming a battle with and about water.

Waterways help trading and bring prosperity. Its strategic location by the sea combined with navigable rivers and safe harbours made Holland the point of departure for ships that sailed and explored the globe. These voyages were exploratory in two senses: to see where the Dutch could make the most profit, and to find out more about the wondrous world and its inhabitants. Dutch companies are at the forefront of hydraulic technology today, from dredging to transport and land reclamation. 'Water management' is the all-embracing term that Crown Prince Willem-Alexander has adopted to cover both this export product and the means of providing developing countries with safe drinking water and sanitary facilities. There is quite simply no better subject for representing 'Holland, Land of Water'.

Floods and dykes

The interplay of natural forces and human interventions gave Holland the form it has today

Strekdammen van basalt-blokken breken golven bij storm en voorkomen afslag van oevers.

Breakwaters of basalt blocks break up the waves during storms and prevent erosion of banks.

Overstroomd en bedijkt

Nederland dankt zijn inrichting aan een samenspel tussen natuurkrachten en menselijk ingrijpen

Nederland is laag land, een gebied in Noord-west-Europa waar brede rivieren uitwaaierend de zee in stromen. In dit land hebben mensen een speciale band met het water. Sporen daarvan zijn door de eeuwen heen zichtbaar gebleven. Lees uit het landschap hoe Nederland is gevormd, door rivieren en zee, maar vooral door mensenhanden die altijd het water in bedwang moesten houden.

The Netherlands covers an area of low-lying land in Northwest Europe where wide rivers spread out and flow into the sea. Its inhabitants have a special relationship with water and this has left its mark throughout the ages. Read Holland's history through its landscape and learn how it was formed – not just by the rivers and ocean, but even more by the Dutch and their constant efforts to keep the water at bay.

DROOGMAKERIJ DE BEEMSTER

Niet voor niets is de Beemster door de Unesco tot Werelderfgoed bestempeld. Het is niet alleen een knap staaltje zeventiende-eeuws vernuft, ook is de boven Amsterdam gelegen polder uitzonderlijk goed bewaard gebleven. In 1607 was door Amsterdamse kooplieden een compagnie opgericht met als doel het Beemstermeer droog te leggen. Onder leiding van Jan Adriaensz Leeghwater (1575-1650) werd een 38 kilometer lange ringdijk aangelegd, en rond het meer werden 43 molens geplaatst. In 1612 was het zover en kon de verkaveling beginnen. Het land werd volgens een schaakbordpatroon van kaarsrechte wegen en sloten ingericht. Langs alle wegen werden bomen geplant. De Beemster is zo groot dat er diverse dorpskernen ontstonden. Behalve ruim tweehonderd boerderijen bouwden kooplieden hier ook buitenhuizen. In 1640 worden er 52 geteld. De nieuw gewonnen grond blijkt heel geschikt voor veeteelt. Al vierhonderd jaar wordt de Beemster bemalen en wordt overtollig water naar de ringvaart gepompt.

Waar in de lage landen de zee vrij spel heeft, is het gevaarlijk toeven. Terpen behoren tot de oudste zichtbare overblijfselen van de manier waarop vroege bewoners zich tegen overstromingen beschermden. In het Fries-Groningse kleigebied tref je er talloze aan. De pioniers, die hun vee op uitgestrekte en vruchtbare kwelders lieten grazen, maakten vluchtheuvels. Tijdens overstromingen kon het vee daar veilig verblijven en ook boerderijen werden op heuvels gebouwd. De oudste terpen dateren

Danger is ever-present in those parts of the Low Countries that are exposed to the sea. Dwelling mounds known as terps are among the oldest visible remains showing how people used to protect themselves from floods in the past. There are numerous terps in the Frisian-Groningen clay area. The first inhabitants let their livestock graze in the wide, fertile marshlands. They built mounds where they could drive the cattle and sheep to safety during flooding, and farmhouses were also built

↑
Hoogwater in de Limburgse Maas in 1995. De kerk van Asselt is gebouwd op een terp.

High water levels in the Maas in Limburg in 1995. Asselt church is built on a mound.

←┄

*Lange, rechte sloten en
wegen met bomen zijn
kenmerkend voor de
Beemster.*

*Long, straight ditches and
tree-lined roads are typical
of the Beemster polder.*

THE RECLAIMED LAND OF THE BEEMSTER

There are good reasons why UNESCO has designated the Beemster a World Heritage Site. Not only is this polder to the North of Amsterdam an impressive demonstration of seventeenth-century ingenuity, it is also very well preserved. In 1607, Amsterdam merchants set up a company to drain the Beemstermeer. The operation was headed by Jan Adriaensz Leeghwater (1575-1650). A 38-kilometre dyke was built to enclose the area and 43 windmills were erected around the lake's periphery. By 1612, they were ready to start parcelling out the land. A chequered pattern divided the land by roads and ditches, all as straight as a die. Trees were planted along the side of the roads. The Beemster polder was so large that it had room for several villages in addition to more than two hundred farms. Rich merchants also chose this site for their country estates – 52 of them by 1640. The newly reclaimed land was well suited to livestock farming. Draining in the Beemster polder has continued for the past four hundred years, with the excess water being pumped into the encircling canal.

↑

*De satellietfoto laat zien
dat grote delen van
de Waddenzee bij eb
droogvallen.*

*The satellite photo shows
that large parts of the
Wadden Sea are dry at
low tide.*

van ongeveer 2500 jaar geleden en bewoonde terpen werden met afval, zoden en mest in de loop der tijd vergroot en opgehoogd. Aan de terpenbouw kwam door aanleg van dijken een einde. De eerste zeedijken in dit gebied dateren uit de dertiende eeuw.
Vanaf de noordelijke zeedijken kun je een reeks eilanden zien liggen die onderdeel zijn van de oorspronkelijke kustlijn. De voor Nederland zo typerende duinenrij is ongeveer zevenduizend jaar geleden ontstaan. Waar de

on these terps. The oldest terps date to around 2500 years ago. Over time, the inhabited terps were extended and raised using waste, sods of earth and manure. The introduction of dykes heralded the end of terp construction; the first sea dykes in this area appeared in the thirteenth century.
Standing on the northern sea dykes, you can see a series of islands. These were part of the original coastline. The strip of dunes, so characteristic of the Netherlands, was formed

zee in de duinen bressen sloeg, sleet getij-
denstroming diepe geulen uit. Zo zijn ooit de
Waddeneilanden ontstaan. Op andere plekken
langs de kust werd de duinenrij onderbro-
ken door in zee uitmondende rivieren. In het
noorden van Nederland is tussen de eilanden
en hoger gelegen delen van het achterland een
groot getijdengebied ontstaan: de Waddenzee,
die bij vloed overspoeld wordt en bij eb grotendeels droogvalt. De zee zet hier klei af en
kwelders zijn er de voorbode van nieuw land.
Wanneer afzettingen alleen bij hoogwater nog

about seven thousand years ago. Wherever
the sea breached the dunes, tidal currents dug
out deep gullies and this was how the Wadden
Islands evolved. Elsewhere along the coast,
the strip of dunes was broken up by rivers
flowing into the sea. A huge tidal area, known
as the Wadden Sea, developed in the north of
the Netherlands between the islands and the
higher parts of the hinterland. It is covered in
water at high tide but is largely dry at low tide.
The sea deposits clay here, and the mud flats
are the precursor of new land.

↑

*Simonszand, een grote
zandbank ten oosten van
Schiermonnikoog.*

*Simonszand, a large
sandbank to the east of
Schiermonnikoog.*

onder water komen te staan, nemen zoutmin-
nende planten er bezit van. Bij volgende overstromingen houdt die vegetatie slib vast. Zo
worden kwelders telkens iets hoger en droger
en dan houden ook andere plantensoorten
stand. Eeuwenlang zijn stukjes land veroverd
op de zee door kwelders te bedijken, terwijl
buiten die dijken weer nieuwe ontstonden.
Achter de Nederlandse kuststrook van duinen
en strandwallen is in lang vervlogen tijden
overal klei afgezet, maar anders dan in Noord-

Deposits that are only submerged at high tide
get taken over by salt-loving plants, which pre-
vents the mud from being carried away by the
water in floods. The result is that the marshy
areas gradually become higher and drier,
attracting other plant varieties. For centuries,
parcels of land have been reclaimed from the
sea by building dykes around the marsh areas.
Then new marshes would develop on the other
side of the dykes. In the distant past, clay was
deposited all around Holland behind the dunes

⋯→

*Prille Texelse duintjes
waarop biestarwegras
groeit dat zand vasthoudt.*

*Nascent dunes on Texel,
with sand couch grass
binding the sand.*

DE BAGGERBEUGEL

Een eenvoudig stuk gereedschap heeft vroeger Nederland helpen vormgeven. De baggerbeugel werd eerst alleen gebruikt om sloten uit te diepen en schoon te houden, maar in de zestiende eeuw bleek het een geschikt instrument te zijn om in de almaar toenemende vraag naar brandstof te voorzien. Er was steeds minder brandhout beschikbaar en gedroogd veen – turf – bleek ideaal om te verstoken. De baggerbeugel maakte het mogelijk om veen met de hand tot diep onder de waterspiegel weg te schrapen. De steel kon meters lang zijn. Het gebaggerde veen werd op de wal uitgespreid om te drogen en werd als turf verkocht. Voor al het weggehaalde veen kwam water in de plaats. De vaak lange, smalle stroken land of legakkers, waarop het veen te drogen werd gelegd, bleken zeer kwetsbaar, omdat ze door golfslag gemakkelijk afkalfden. Zo ontstonden grote aaneengesloten plassen.

Nederland kwam in het westen deze afzetting onder een dikke laag veen te liggen. Riet, zegge en moerasbossen kregen hier het rijk alleen. In deze laaggelegen gebieden kwamen afgestorven planten onder water te liggen. Zonder zuurstof braken de resten niet goed af en in de loop van honderden jaren ontwikkelde zich een metersdik veenpakket.

In de middeleeuwen bestond het westen van Nederland nog grotendeels uit laagveenmoerassen. Vanaf de late middeleeuwen werden and beach ridges. Unlike the north of the country, however, the deposits in the western Netherlands were covered by a thick layer of peat. Reeds, sedge and marsh woodland took over. Dead plant material in these low-lying areas ended up under water. These remains could not decompose properly due to a lack of oxygen, so a layer of peat several metres thick accumulated over the course of centuries.

In the Middle Ages, the west of Holland still consisted largely of low-lying peaty marshland.

↑

In laaggelegen drassig land gedijen broekbossen en ontstaat veen.

Wet woodlands thrive in low-lying marshy areas, ultimately producing peat.

THE DREDGE BAG

:....

De baggerbeugel is een gereedschap om onder water turf te steken.

A dredge bag is a tool for cutting peat below the water level.

A long time ago, this simple instrument helped shape the Netherlands. Hand-held dredge bags were used initially to dig out ditches and keep them clear. Then in the sixteenth century, it turned out to be a useful tool for satisfying the rising demand for fuel. Firewood was becoming increasingly scarce and dried peat turned out to be ideal for burning. A dredge bag let people cut the peat by hand to far below the water level. The handle was sometimes several metres in length. Once the peat had been dug up, it was spread out on the bank to dry and then sold as fuel. The empty space remaining after the peat had been removed soon filled with water. The long, thin strips of land left between the excavated areas where the peat was laid out to dry were not very secure and liable to crumble away if there were waves, resulting in large uninterrupted bodies of water.

↑

Voor toeristen wordt het turfsteken en drogen van turf nagespeeld.

Peat cutting and peat drying are re-enacted for tourists.

deze gebieden gecultiveerd. Vanuit een zandrug of oude oeverwal werden, loodrecht daarop, lange rechte sloten gegraven om de moerassen te ontwateren. De grond tussen de sloten was geschikt als weiland, het hoge terrein voor een weg en bewoning. Lintdorpen met haaks daarop lange, op gelijke afstand van elkaar lopende sloten en smalle repen weiland met grazende koeien bepaalden het beeld. Dit voor die tijd kenmerkende landschapstype verdween grotendeels door

Cultivation of these areas started in the late Middle Ages. Long, straight ditches were dug out at right angles to a sandy ridge or river bank in order to drain the marshes. The land between the ditches could be used as pasture and more elevated land was used for roads and housing. The pattern that developed was of linear or 'ribbon' villages with equally spaced ditches radiating out at right angles and small strips of pasture on which cows grazed. This kind of landscape was characteris-

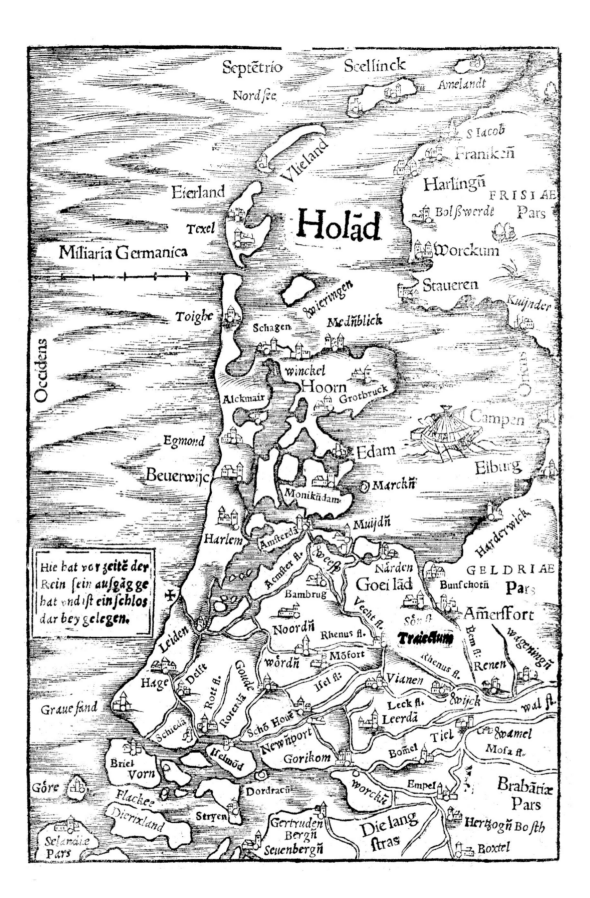

Septétrio　　　Scellinck

Nordſee　　　　　　　　　　Amelandt

Vlieland

Eierland　　　　　　　　　　　S Iacob

Texel　　　　　　　　　Frankeñ

Hoſād　　Harlingñ　FRISIAE

　　　　　　Bolßwerde　Pars

Miliaria Germanica　　　　　Worckum

　　　　　　　　　　Staueren

　　　　Swieringen　　　　　Kuijnder

Toighe　　　Medñblick

　　Schagen

　　　　　winckel

Alckmair　　Hoorn

　　　　　Grotbruck

Egmond　　　　　Campen

Beuerwijc　　Edam　Elburg

　　　　　Marckñ

　　Monikūdam

Harlem　　Muijdñ　Harderwick

Amsterdā　Weeſp

　　Aemſter fl.　Nárden　GELDRIAE

Hie hat vor zeitē der　　Goei lād　Bunſchotñ　Pars

Rein ſein auſgãg ge　Bambrug　Vecht fl.　Amerſfort

hat vnd iſt ein ſchlos　　　Sōra　Rem fl.

dar bey gelegen.　Noordñ　Rhenus fl.　Traiectū　Renen

　　　　　　wōrdñ　Mōfort　Rhenus fl.

Leiden　Delft　　Iſel fl:　Vianen

Hage　　Gonde　　　Swijck　wal fl.

　　Rott fl.　　Leck fl.

Graue ſand　Schieda　Roterdā　Schō Houe　Leerdā　Tiel　Wamel

　　　　　Newñport　Bōmel　Moſa fl.

Helmōd　Gorikom

Briel　Vorn　　　Empel　Brabātiæ

Gōre　　　Dordracū　worckū　　Pars

Flackee　　　　　　　Herżogñ Boſth

Dierixland　Stryen　Gertruden

Selandie　　　Bergñ　Die lang　Boxtel

Pars　　Seuenbergñ　ſtraſ

Occidens

Orient

↑

Het Noord-Hollandse lintdorp Den Ilp ligt in een veengebied en heeft een oud slotenpatroon.

The 'ribbon village' of Den Ilp in Noord-Holland is in peat wetland and has an old pattern of ditches.

←

Vergeleken met nu bestond Holland in de zestiende eeuw meer uit water dan uit land.

Compared with nowadays, sixteenth-century Holland consisted of more water than land.

ontginning van het veen. In gedroogde vorm bleek veen namelijk uitstekend bruikbaar als brandstof. Steeds meer veen werd afgegraven en daar kwam niets dan water voor terug. Vanwege de turfwinning ontstonden steeds grotere plassen, die op hun beurt een bedreiging voor omliggende steden en dorpen vormden. Tegelijk kwam door ontwatering en inklinking het land ten opzichte van de zee lager te liggen. Wanneer een zeedijk het als gevolg van een stormvloed begaf, stroomde het land onder. Wie op een zestiende-eeuwse kaart van bijvoorbeeld Holland kijkt, ziet meer water dan land.

tic for the period, but largely disappeared as a result of peat excavation. Dried peat turned out to be an excellent fuel and increasing amounts of peat were dug up. All that replaced it was water.

Peat excavation resulted in ever bigger lakes, which started to become a threat to the surrounding towns and villages. At the same time, draining the land had the effect of compacting it and lowering it relative to sea level. Once a sea dyke was breached in a storm, the land would be flooded. A sixteenth-century map of Holland, for instance, shows more water than land.

Steden als Amsterdam groeiden aan het einde van de zestiende eeuw als kool, en behalve aan brandstof was er ook een groeiende behoefte aan landbouwgrond. Van de nood moet een deugd gemaakt kunnen worden, zullen vindingrijke mensen hebben gedacht. Er werden ingenieuze plannen uitgedokterd om plassen droog te maken, zodat de veiligheid vergroot werd, maar vooral ten behoeve van de landbouw. Door handel rijk geworden koop-lieden verschaften het benodigde kapitaal. In 1533 werd de Achtermeer bij Alkmaar als eerste ingepolderd en met een molen drooggemalen. Vele andere plassen volgden, en in 1612 was zelfs het grote Beemstermeer helemaal droog. Een polderlandschap met honderden molens werd in het hele gewest Holland gezichtsbepalend.

Towns such as Amsterdam were mushrooming at the end of the sixteenth century. That meant increased demand not just for fuel, but also for farmland. Inventive contemporaries decided to make a virtue out of a necessity. They came up with ingenious plans for draining lakes, partly to improve safety, but mainly to increase the amount of farmland. The requisite capital came from merchants who had become wealthy through trade. The Achtermeer lake near Alkmaar was the first to be reclaimed in 1533, with a windmill being used to pump the water away. Many other lakes followed and by 1612 even the huge Beemstermeer lake was completely dry. This entire western region of the Netherlands took on the appearance of a polder landscape with hundreds of windmills.

Het molencomplex bij Kinderdijk in Zuid-Holland staat op de Werelderf-goedlijst van Unesco.

The Kinderdijk mill complex in Zuid-Holland is on the UNESCO World Heritage List.

Liveable lowlands

Dutch coastal defences have a long and dramatic history of successes and failures

Dijkdoorbraak van de Nieuw-Neuzenpolder bij Terneuzen tijdens de watersnoodramp (1953).

A breached dyke at Nieuw-Neuzenpolder near Terneuzen during the North Sea Flood (1953).

Leefbaar laagland

De Nederlandse kustverdediging kent een dramatisch lange geschiedenis van mislukkingen en successen

Om in het natte laagland een bestaan op te bouwen, moeten de handen ineen worden geslagen. De zorg om veiligheid is een collectieve. Door de eeuwen heen zijn primitieve dijken geëvolueerd tot indrukwekkende waterbouwkundige werken. Techniek en publieke middelen bepalen sterkte en vorm van de kust. Als de zee op afstand gehouden wordt, is welvaart en voorspoed de beloning.

Settlement of wet, low-lying areas will only work if people band together. Safety requires a group effort. Over the course of centuries, primitive dykes evolved to become imposing hydraulic engineering structures. The strength and shape of coastal defences are determined by the technology and the public resources available. If the sea can be kept at bay successfully, prosperity will follow.

Dijken zijn zo sterk als hun zwakste plekken. Uit het verleden zijn meer dan honderd storm-vloeden bekend die dijkdoorbraken tot gevolg hadden. Van een stormvloed is officieel sprake als een uitzonderlijk zware storm het water opstuwt tot meer dan anderhalve meter boven het normale niveau van hoogwater. Spring-vloed, een hoge stand van het water in de rivie-ren, of verzwakte dijken vergroten de dreiging. Tijdens de Sint-Elisabethsvloed van november 1421 zijn tientallen dorpen in Holland, Zeeland en Vlaanderen overstroomd. Na deze beruchte stormvloed moest het landbouwgebied de Gro-te Waard worden opgegeven. De dijken waren slecht onderhouden als gevolg van politieke twisten. Ook was, ondanks verbodsbepalin-gen, zowel voor als achter de dijken veel veen afgegraven. Op meerdere plaatsen braken toen dijken door die vanwege de met water gevulde diepe veenputten extra verzwakt waren.
De zwaarste stormvloed van de laatste eeuwen is de watersnoodramp van 1953. Een noord-westerstorm met windkracht 11 tot 12, in com-binatie met springtij, zette in de nacht van 31 januari op 1 februari grote delen van Zuidwest-

A dyke is only as strong as its weakest point. There are records of more than a hundred storm surges through history that resulted in dykes breaking. A storm surge is the term used when a very severe storm causes the sea to rise to more than one and a half metres above its normal high-tide level. The danger is even greater if it occurs at a spring tide, if the water in the rivers is high or the dykes are weakened. The Saint Elizabeth's Flood of November 1421 engulfed dozens of villages in the provinces of Holland, Zeeland and Flanders. After this notorious storm, the area of farmland known as the Grote Waard had to be relinquished. The dykes had been in a poor state of repair because of politi-cal disputes. People had also been excavating peat on both sides of the dykes, despite regula-tions prohibiting it. Dykes broke at several points where they had become weakened by deep peat pits nearby that had filled with water. The worst storm surge in recent centuries was the North Sea Flood of 1953. A combination of a north-westerly storm with winds at force 11 to 12 plus spring tides resulted in large parts of the southwest of the Netherlands being inundated

AFSLUITDIJK

De dertig kilometer lange dijk die de provincies Noord-Holland en Friesland sinds 1932 met el-kaar verbindt, behoort tot Nederlands grootste waterbouwkundige werken. Het is zelfs een van de weinige bouwwerken in de wereld die vanuit de ruimte te zien zijn. De dijk sluit de vroegere Zuiderzee af. Zo ontstond het IJsselmeer, dat vervolgens voor een deel ingepolderd werd. Dank-zij de Afsluitdijk werd de veiligheid vergroot, verzilting van landbouwgronden tegengegaan, kon nieuw land gewonnen worden en een nieuwe verbindingsweg worden aangelegd. Voor Cornelis Lely (1854-1929), de ingenieur die niet alleen de Afsluitdijk ontwierp, maar deze vervolgens ook als minister van Waterstaat bepleitte, is een standbeeld opgericht. Wanneer niet zijn plan, maar dat van een negentiende-eeuwse voorganger zou zijn uitgevoerd, was er een dijk aangelegd van Den Helder naar Terschelling en Ameland, onder Texel langs, en was de Waddenzee grotendeels ingepolderd. Het werd, gelukkig, financieel en technisch onhaalbaar geacht.

Na aanleg van de Afsluit-dijk kon aan inpoldering van de voormalige Zuider-zee worden begonnen.

After the Afsluitdijk was built, the draining of the former Zuiderzee could start.

AFSLUITDIJK

The thirty-kilometre causeway known as the Afsluitdijk, which has connected the provinces of Noord-Holland and Friesland since 1932, is one of the Netherlands' biggest hydraulic engineering structures. It is actually one of the few man-made structures visible from space. This dyke closed off the former Zuiderzee bay, creating a lake known as the IJsselmeer. Parts of this lake were subsequently drained. The Afsluitdijk increased safety, prevented the salination of farmland, enabled new land to be claimed and created a new connecting road. The causeway has a statue of Cornelis Lely (1854-1929), the engineer who not only designed the Afsluitdijk, but also pleaded its case as Minister of Water Management. If they had carried out the plan of a nineteenth-century predecessor rather than his plan, we would have had a dyke from Den Helder to the islands of Terschelling and Ameland, under Texel, and much of the Wadden Sea would have been reclaimed. Fortunately this plan was considered both financially and technically unfeasible.

Het standbeeld van Cornelis Lely op de door hem bedachte en gerealiseerde Afsluitdijk.

The statue of Cornelis Lely on the Afsluitdijk, which he thought up and realised.

De Stormvloedkering Hollandse IJssel werd enkele jaren na de watersnoodramp aangelegd.

The Hollandse IJssel storm surge barrier was started a few years after the North Sea Flood.

Nederland onder water. De storm hield lang aan, dijken begaven het op 150 plaatsen en ook door de vloed op de volgende dag verdronken nog veel mensen. De ramp kostte 1836 mensen het leven en 43.000 gebouwen werden vernield of beschadigd. Al in de jaren twintig was onderkend dat de dijken te laag en te zwak waren. Toen werd echter prioriteit gegeven aan de aanleg van de Afsluitdijk. Bovendien waren tijdens de Tweede Wereldoorlog veel dijken beschadigd en was er nog weinig gedaan om ze te herstellen.

Direct na de ramp werd een commissie ingesteld. Op basis van haar plan zijn de Deltawerken uitgevoerd. Dit omvangrijke waterstaatkundige project heeft Nederland wereldwijde roem opgeleverd. Het eerst gerealiseerde onderdeel, in 1958, was de Stormvloedkering Hollandse IJssel. Bijna veertig jaar later, in 1997, werd de Maeslantkering in de Nieuwe Waterweg in gebruik genomen en waren de Deltawerken voltooid. Volgens het plan moesten alle zeearmen worden afgesloten, uitgezonderd de Nieuwe Waterweg en de Westerschelde. De Nieuwe Waterweg kan in geval

in the night of 31 January to 1 February. The storm continued for a long time, dykes were breached at 150 points and there were numerous casualties from drowning the following day as well due to the flood tides. The disaster cost the lives of 1836 people and 43,000 buildings were damaged or destroyed. The dykes had been acknowledged as being too low and too weak back in the 1920s, but priority was given to the construction of the causeway between Noord-Holland and Friesland. The Second World War had resulted in further damage to many dykes and little had been done as yet to repair them.

A commission was set up immediately after the disaster. It drew up a plan that became the basis for the Delta Works, the vast hydraulic engineering project that made the Netherlands known around the world. The first part to be finished was the Hollandse IJssel storm surge barrier in 1958. The Delta Works were completed nearly forty years later when the Maeslant barrier in the Nieuwe Waterweg, a man-made waterway, came into operation in 1997. The original plan was to close off all the inlets with

VERDRONKEN DORPEN

Alleen al in Zeeland en West-Brabant zijn tientallen dorpen, buurtschappen en boerderijen in de loop der eeuwen overstroomd en letterlijk van de kaart geveegd. De dijken bleken niet altijd bestand tegen stormvloeden wanneer een zware westerstorm het water in de zeearmen hoog opstuwde. Het gevaarlijkst was het wanneer zo'n stormvloed samenviel met springtij. Ook door veranderende stromingen in de zeearmen kon land afkalven. Op Schouwen lag het plaatsje Cou-dekerk op wel drie kilometer van de zeedijk. Maar de zee kwam onafwendbaar dichterbij en het dorp moest in de zestiende eeuw worden opgegeven. Alleen de Plompe Toren is nog over. De oude kerktoren staat sinds mensenheugenis als een eenzaam monument aan de dijk en her-bergt tegenwoordig een bezoekerscentrum met als thema Zeeuwse overstromingen. Tijdens de watersnoodramp van 1953 zijn twee dorpen verdwenen: Schuring in de Hoekse Waard en het bij Zierikzee gelegen gehucht Capelle.

van gevaar toch afgesloten worden door de Maeslantkering. Ook voor de Oosterschelde-dam is in afwijking van het plan gekozen voor een beweegbare constructie. Om getijdenwer-king in de Oosterschelde te behouden, kunnen bij zware storm grote schuiven naar beneden worden gelaten.

De dijken zijn op deltahoogte gebracht, dat wil zeggen dat ze altijd voldoende hoog en sterk zijn om een uitzonderlijk zware stormvloed te doorstaan.

the exception of the Nieuwe Waterweg and the Westerschelde estuary, but in fact the Nieuwe Waterweg can be closed off by the Maeslant bar-rier if there is a threat. Another deviation from the original plan is the choice of a movable construc-tion for the Oosterschelde estuary dam. It has huge sluice gates that only come down in severe storms, so the estuary retains its tidal nature. The dykes have been raised to 'delta height', which means they are always high and strong enough to withstand exceptionally strong storm surges.

↑

Roggenplaat (voorgrond) en het werkeiland Neeltje Jans in de Oosterschelde-kering.

Roggenplaat and the Neeltje Jans working is-land in the Oosterschelde storm surge barrier.

DROWNED VILLAGES

There are dozens of villages, communities and farms in Zeeland and West-Brabant alone that were flooded in past centuries and literally disappeared from the map. Dykes did not always prove able to withstand storm surges when a severe westerly storm caused the water in the inlets to rise. The situation was most dangerous when a storm surge coincided with a spring tide. Changes in the currents in the inlets could also erode land. The village of Coudekerk on the island of Schouwen lay three kilometres from the sea dyke, but the sea kept encroaching closer and closer and in the sixteenth century the village had to be abandoned. Only the old church tower, the Plompe Toren, remains. It has stood there since time immemorial as a lonely monument next to the dyke. These days, it houses a visitor centre with information about floods in Zeeland. The North Sea Flood of 1953 led to the disappearance of two villages: Schuring on the island of Hoekse Waard and the hamlet of Capelle close to the town of Zierikzee.

De Plompe Toren op Schouwen-Duiveland, een overblijfsel van een verdronken dorp.

The Plompe Toren on Schouwen-Duiveland, a remnant of a drowned village.

Zand wordt met een pijpleiding op het strand gespoten ter versterking van de kust.

Sand being pumped onto the beach through a pipeline to strengthen the coast.

De Deltawerken waren nog niet afgerond, of nieuwe inzichten noopten tot het instellen van een Tweede Deltacommissie. De zeespiegel stijgt door klimaatverandering sneller dan werd aangenomen en dat betekent dat Nederland nieuwe voorzorgsmaatregelen moet nemen. In het ergste scenario zal de zeespiegel door smeltend poolijs enkele meters stijgen. Zonder kustverdediging zou een veel groter deel van Nederland onder water komen en komt Amersfoort wellicht aan zee te liggen.

Barely had the Delta Works finished before new insights led to a Second Delta Commission being established. Sea level rises due to climate change are occurring faster than anticipated and that means the Netherlands has to take new precautions. The worst-case scenario is of the sea level rising several metres due to polar ice melting. Without adequate coastal defences, this could put much more of the Netherlands under water, potentially even turning an inland town like Amersfoort into a seaside resort.

De Tweede Deltacommissie ziet veel mogelijkheden door te bouwen met de natuur.
Door het opbrengen van zand, zogeheten
zandsuppletie, moet de kust op natuurlijke
wijze aangroeien en ten minste afkalving door
de zee compenseren. Het zand wordt uit zee
opgezogen en voor de kust of op het strand
gedeponeerd. Voor het eerst wordt de zee
bestreden met haar eigen middelen. Inmiddels
wordt een experiment uitgevoerd dat uniek
is in de wereld: bij Hoek van Holland is een
heel schiereiland van opgespoten zand in zee
gelegd dat de zandmotor wordt genoemd. Stroming en wind zorgen ervoor dat het zand zich
langzaam in noordelijke richting verspreidt en
de kust versterkt.

The Second Delta Commission thinks much
can be achieved by cooperating with nature
rather than fighting it. The idea is to let the
coast grow naturally, or at any rate compensate
for the erosion by the sea, by means of sand
replenishment. Sand is sucked up from the
seabed and deposited just off the coast or on
the beach. This is the first time that the sea is
being tackled using its own instruments. And an
experiment is now under way that is unique in
the world: an entire artificial peninsula of sand
has been created next to Hoek van Holland. It is
known as the sand engine. Currents and wind
will make the sand spread gradually north along
the coast and strengthen it.

*De zandmotor steekt één
kilometer de zee in; door
wind, golven en stroming
zal het opgespoten zand
zich in een reeks van jaren
langzaam verspreiden.*

*The sand engine stretches
a kilometre into the sea.
Over a number of years,
the wind, waves and cur-
rents will slowly distribute
the sand pumped onto it.*

■	-1000 - -500
■	-500 - -300
■	-300 - -200
■	-200 - -100
■	-100 - -50
■	-50 - 0
□	0 - 50
□	50 - 100
■	100 - 150
■	150 - 200
■	200 - 300
■	300 - 400
■	400 - 600
■	600 - 1000
■	1000 - 1500
□	1500 - 2000
□	2000 - 3000
□	3000 - 4000
■	4000 - 6000
■	6000 - 10000
■	10000 - 15000
■	15000 - 20000
■	20000 - 25000
▨	25000 - 35000

↑

Uitbreiding van Mainport Rotterdam in zee met havens voor megacontainerschepen.

Expansion of Rotterdam Mainport into the sea, with berths where megacontainer ships can moor.

←---

Hoogtekaart van Nederland. De gebieden onder zeeniveau zijn met blauw aangegeven.

Elevation map of the Netherlands. Areas below sea level are shown in blue.

De Deltawerken en ook de aanleg van de Twee-de Maasvlakte hadden als onbedoeld gevolg dat de natuurlijke afvoer van zand stagneerde. Voor de kust van Zeeland en de Zuid-Hollandse eilanden is een ondiepe zee ontstaan met bij eb droogvallende zandbanken. Als deze na-tuurlijke ontwikkeling doorgaat, ontstaat hier zelfs een heel nieuw waddengebied. Nieuwe duinenrijen, zandplaten en ondiep zeewater zullen de toekomstige, veel bredere kust van Nederland kenmerken.

An unanticipated effect of both the Delta Works and Maasvlakte 2, is that they are preventing the natural discharge of sand. Shallow waters have now developed off the coast of Zeeland and the islands of Zuid-Holland, with sand-banks that are exposed at low tide. If these natural developments continue, this could turn into an entirely new area of mud flats. In the future the Netherlands will have a much wider coastline here with new dunes, sandbanks and shallow ocean waters.

Defunct defences

Lines, forts, moats and controlled flooding: water defending town and country

Naarden is een uitzonderlijk goed bewaard gebleven vestingstad met zes bastions en ravelijnen.

Naarden is an extremely well-preserved fortified town with six bastions and triangular fortifications called 'ravelins'.

Dood weermiddel

Linies, forten, vestinggrachten en inundaties: water ter verdediging
van stad en land

Dat Nederland voor een deel onder de waterspiegel ligt, bracht in tijden van gevaar een
voordeel met zich mee. Als een strook land tot
een halve meter onder water werd gezet, was
dat voor de vijand doorvaarbaar noch door-
waadbaar en werd hem een halt toegeroepen.
Nederland is uniek in de wereld door zijn op
waterbeheersing geënte verdedigingswerken.

In times of danger there were advantages
to the fact that parts of the Netherlands lay
below sea level. Putting a strip of land half a
metre under water stopped the enemy in its
tracks as they could neither wade across nor
sail across. The Dutch fortifications based on
the control of water for defensive reasons are
unique in the world.

Om zich te kunnen verdedigen tegen vijanden hadden kastelen en steden in de middeleeuwen dikke muren, wallen en grachten. Stadsbesturen zagen erop toe dat de verdedigingswerken in goede staat verkeerden, de grachten diep genoeg waren en er altijd voldoende voorraad en manschappen beschikbaar waren. In de loop der tijd werden vestingen aangepast als antwoord op steeds krachtiger geschut. Stadsmuren werden versterkt, voor of buiten de omwallingen verrezen bolwerken. Met

In the Middle Ages, castles and towns built thick walls, embankments and moats as a defence against enemies. Town officials made sure that the fortifications were kept in a good state of repair, the moats were deep enough and there were always sufficient supplies and men available. Over time, these fortresses were adapted to deal with increasingly powerful artillery. Town walls were reinforced and bulwarks erected in front of or outside the ramparts. Angular bastions,

↑
In de negentiende eeuw was Slot Loevestein onderdeel van de Nieuwe Hollandse Waterlinie.

In the nineteenth century, Loevestein Castle was part of the New Holland Water Defence Line.

De Spaanse troepen van Alva heroveren Loevestein in 1570. Prent van Frans Hogenberg (ca. 1530-1590).

The Spanish troops of Alva reconquered Loevestein in 1570. Print by Frans Hogenberg (c. 1530 to 1590).

De beroemde ontsnapping van Hugo de Groot in 1621 uit Slot Loevestein is vaak in prent verbeeld.

Hugo de Groot's famous escape from Loevestein Castle in 1621 has often been depicted.

De Spaanse legerkapitein Bernardino de Mendoza, die in de zestiende eeuw in Nederland de Hollandse opstandelingen bestreed, beschrijft in een boek wat hem opviel. De opstandelingen laten regelmatig land onderlopen door sluizen open te zetten of dijken door te breken. Met een polsstok, die ook als wapen gebruikt kan worden, springen ze behendig over brede sloten. Het meest verbaasd is hij wel over het schaatsen. Boerinnen gaan in de winter schaatsend naar de markt met een mand eieren op hun hoofd. Toen een vloot van de opstandelingen was vastgevroren, nabij Amsterdam, werd die aangevallen. Maar het ijs werd rondom weggehakt en de opstandelingen verschansten zich achter hun schepen. Daarna versloegen geoefende musketiers de Spanjaarden door ze schaatsend tegemoet te rijden. De Spanjaarden werden in de pan gehakt, maar ze waren zo onder de indruk dat ze voor hun eigen troepen zevenduizend paar schaatsen bestelden.

vijfhoekige uitbouwsels in de vestingwal, konden ook dode hoeken worden bestreken met vuurwapens; extra aarden wallen beschermden de muren nog eens tegen inslagen. Ten opzichte van andere landen had Nederland het voordeel dat er rond de vestingen gemakkelijk verdedigingsgrachten konden worden gegraven. Nederland kent een aantal mooi bewaard gebleven vestingplaatsen, waaronder Willemstad, Naarden en Bourtange.

five-cornered projections from the fortification wall, made sure that any blind spots could be attacked by firearms while additional earth embankments provided extra protection against attacks. Holland had an advantage over other countries in that it was easy to dig defensive moats around the fortresses. The Netherlands has a number of well-preserved fortified towns including Willemstad, Naarden and Bourtange.

↑

Oorspronkelijk dateert de vijfhoekige vesting Bourtange bij Groningen uit de late zestiende eeuw.

The pentagonal Bourtange fortress near Groningen dates back originally to the late sixteenth century.

A SPANISH ARMY CAPTAIN'S VIEW OF WAR AND WATER

The Spanish army captain Bernardino de Mendoza, who was in Holland fighting against the rebels in the sixteenth century, noted down his impressions in a book. The rebels frequently flooded the land by opening sluices or breaching dykes. They used poles to vault across wide ditches and the same poles also served as weapons. But it was the skating that made the biggest impression on the Spaniard. In winter, farmers' wives would even skate to market with baskets of eggs on their heads. When a fleet belonging to the rebels was blocked in by ice close to Amsterdam, it was attacked. But the rebels hacked away the ice and hid behind their ships. The experienced musketeers then overcame the Spanish by skating towards them. They made mincemeat of the Spaniards, but the occupying forces were so impressed that they ordered seven thousand pairs of skates for their own troops.

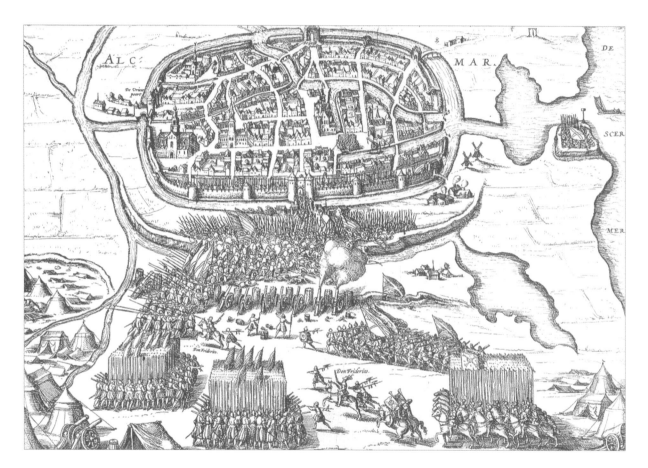

↑

*Het beleg van Alkmaar
in 1573 door Spaanse
troepen. Prent van Frans
Hogenberg (ca. 1530-1590).*

*The Siege of Alkmaar in
1573 by Spanish troops.
Print by Frans Hogenberg
(c. 1530 to 1590).*

Tijdens de Tachtigjarige Oorlog (1568-1648) hebben de Spanjaarden heel wat steden belegerd. Naarden werd in 1572 ingenomen door de troepen van Philips II, de landsheer. De stad werd platgebrand, de bevolking uitgemoord. De Spaanse troepen gaven het beleg van Alkmaar een jaar later op nadat ze uit een onderschepte brief hadden begrepen dat de opstandelingen het land rond de stad onder water zouden zetten. Het beleg van Leiden werd een jaar later gebroken: nadat dijken

The Spanish besieged many towns during the Dutch Revolt, also known as the Eighty Years' War (1568-1648). In 1572 Naarden was occupied by the troops of Philip II, the Spanish ruler. The town was burnt to the ground and the inhabitants were massacred. A year later, Spanish troops abandoned the siege of Alkmaar when they intercepted a letter saying that the rebels were planning to flood the land around the town. One year after that, the siege of Leiden was broken: after rebels had breached the dykes,

Tegeltableau met vijf pieke-
niers en een vaandeldrager
in afzonderlijke posities
(ca. 1625).

Tiled scene with five pike-
men and a standard bearer
in separate positions
(c. 1625).

waren doorgestoken, stuwde een storm het water richting Leiden zo hoog op dat de Spaanse
belegeraars in haast moesten vluchten. Na
deze successen liet prins Maurits (1567-1625)
onderzoeken of het mogelijk was een verdedi-
gingslinie aan te leggen, gebaseerd op inundaties (het onder water zetten van laagland) en
een systeem van forten en schansen. Dit was
het begin van een verdedigingsstrategie die tot
in de twintigste eeuw gehandhaafd bleef en
telkens geperfectioneerd werd. Vestingsteden,
forten, slaapdijken, schansen, kazematten en

a storm sent the water surging towards Leiden
at such a height that the Spanish besiegers had
to flee the scene. Following these successful
episodes, Prince Maurits (1567-1625) ordered a
study into the option of building a line of fortifications based on controlled flooding of low-lying
land and a system of forts and redoubts. This
'flood belt' was the start of a defence strategy
that was maintained and continually perfected
right through to the twentieth century. Fortified
towns, forts, subsidiary dykes, redoubts, case-
mates and artillery equipment remain scattered

Portret van de stadhouder, prins Maurits van Oranje door Michiel van Miere-veld (1567-1641).

Portrait of the stadhouder Prince Maurits of Orange by Michiel van Miereveld (1567-1641).

De Nieuwe Hollandse Waterlinie, aangelegd om ook de stad Utrecht te kunnen verdedigen.

The New Holland Water Defence Line, which was constructed to make sure that the city of Utrecht could be defended.

geschutsbatterijen behoren, verspreid over het land, tot de herkenbare overblijfselen van die strategie. Uiteindelijk verloren de waterlinies definitief de wedloop met de wapenindustrie. Maurits' halfbroer Frederik Hendrik (1584-1647) liet in 1629 de zogeheten Utrechtse Waterlinie onderlopen, die liep vanaf de Zuiderzee langs de Vecht tot aan de Lek. Toen in 1672 de Fransen aanvielen, werden ze tegengehouden door de inmiddels aangelegde Hollandse Waterlinie, die liep van Muiden tot Gorinchem. Deze linie, 85 kilometer lang en tot 5 kilometer

around the country as a visible reminder of this strategy. The flood belt defences eventually lost out in the race with the arms industry.
In 1629, Maurits's half-brother Frederik Hendrik (1584-1647) arranged for the inundation of the so-called Utrecht Water Line, which ran from the Zuiderzee bay along the River Vecht to meet the River Lek. When the French attacked in 1672, they were stopped by the Holland Water Line, which had been built in the meantime. This flood belt was 85 kilometres long and up to 5 kilometres wide, running between the towns of

STELLING VAN AMSTERDAM

Rond Amsterdam ligt een waterlinie over een lengte van 135 kilometer. Als belangrijkste stad van Nederland moest Amsterdam beschermd worden door een brede ring van ondiep water. Op zwakke plekken in de waterlinie kwamen permanent bemande forten, 45 in totaal. De bouw van de Stelling van Amsterdam begon in 1880 en duurde tot 1920. Maar het nut ervan was al achterhaald voordat de stelling voltooid was. De invoering van de krachtige brisantgranaat noopte zelfs tot stillegging van de bouw en aanpassingen van het ontwerp. De Eerste Wereldoorlog leidde tot het inzicht dat de stelling geen adequaat antwoord meer bood op moderne oorlogvoering. Ook is het de vraag of Amsterdam een maandenlange belegering zou kunnen uitzitten. Aan de eisen van logistiek en bevoorrading kon goed beschouwd niet worden voldaan. De forten kregen andere bestemmingen en de stelling werd op de Werelderfgoedlijst van Unesco geplaatst.

breed, bleef als verdedigingswerk in gebruik tot 1795. Het vroor die winter echter zo hard dat de Franse troepen, die opnieuw aanvielen, de bevroren rivieren overstaken en Nederland met relatief gemak bezetten. De linie had gefaald en de stadhouder vluchtte naar Engeland. Utrecht lag buiten de linie en kon niet goed verdedigd worden. In 1815 gaf koning Willem I opdracht om een Nieuwe Hollandse Waterlinie aan te leggen door een reeks forten te bouwen ten oosten en noorden van deze stad. In de

Muiden and Gorinchem. It remained in use until 1795, when the French attacked again. However, that winter was so cold that the rivers froze and the French troops were easily able to cross them and occupy Holland. The defence line had failed and the 'stadhouder' (governor of the Dutch Republic) fled to England. Utrecht lay outside the defensive line and could not be defended properly. In 1815 King Willem I gave the order to build a New Holland Water Defence Line by constructing a series of forts to the east and north of

↑

Fort Rijnauwen bij Utrecht, onderdeel van de Nieuwe Hollandse Waterlinie, dateert uit 1871.

Fort Rijnauwen near Utrecht, part of the New Holland Water Defence Line. It dates back to 1871.

Amsterdam is surrounded by a water defence line 135 kilometres long. Amsterdam was Holland's most important city and so it needed to be protected by a wide ring of shallow water. Permanently manned forts were erected at weak points in the flood belt – 45 in total. Construction of the Defence Line of Amsterdam started in 1880 and took until 1920, but even before it was completed it no longer served any useful purpose. The invention of powerful high-explosive shells even led to construction work being stopped while the design of the fortifications was adapted to cope. It became clear with the First World War that the defence line would never constitute a satisfactory response to modern warfare. It is also debatable whether Amsterdam would ever have been able to survive a siege lasting months. All things considered, it did not meet the requirements for logistics and supplies in such a situation. The forts were put to a different use and the Defence Line was placed on UNESCO's World Heritage list.

Onder water gezet land tijdens de mobilisatie (1939-1940).

Flooded land during the mobilisation (1939-1940).

Amfibievoertuigen trotseren ijsschotsen en waterlinies tijdens de mobilisatie.

Amphibious vehicles had to face ice floes and water lines during the mobilisation.

Het zagen van wakken in een bevroren waterlinie tijdens de mobilisatie.

Sawing holes in the ice in a frozen water defence line during the mobilisation.

achttiende eeuw was bovendien al begonnen met de aanleg van een oostelijker gelegen waterlinie: de Grebbelinie, die liep van de Grebbeberg bij Rhenen door de Gelderse Vallei via Amersfoort tot Bunschoten. Wanneer vijandige troepen bij de Grebbelinie zouden worden tegengehouden, had men in Holland nog wat tijd gewonnen om de Hollandse Waterlinie in werking te stellen. Hoewel de Grebbelinie in onbruik was geraakt, is ze in 1940 nog gebruikt bij de verdediging tegen de Duitse invasie.

Utrecht. Indeed, a start had already been made on the construction of a more easterly flood belt in the eighteenth century. This was the Grebbe Line, which ran from the Grebbeberg hill close to Rhenen through the low-lying Gelderse Vallei region and via the town of Amersfoort to the town of Bunschoten. If enemy troops could be held back at the Grebbe Line, this would give the Dutch time to put the Holland Water Defence Line into operation. Although the Grebbe Line had fallen into disuse by 1940, it was still used

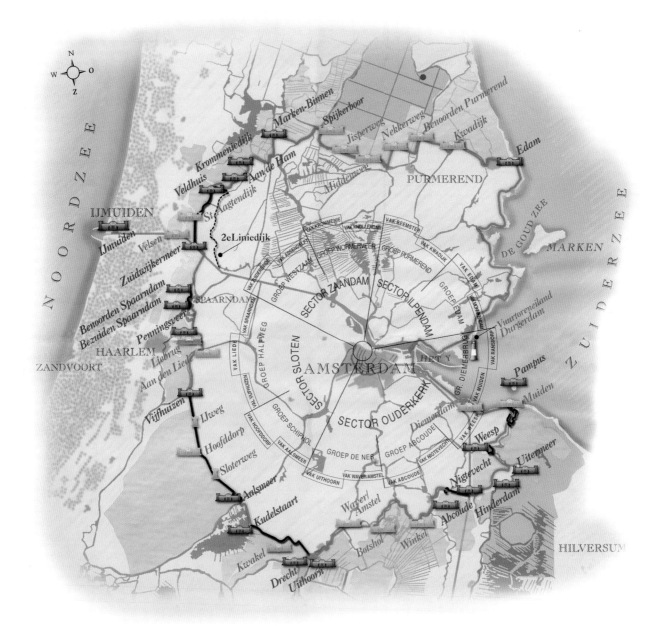

De Stelling van Amsterdam met 45 forten en een waterlinie van 135 kilometer.

De Stelling van Amsterdam met 45 forten en een waterlinie van 135 kilometer.

The Amsterdam Defence Line, with 45 forts and a 135-kilometre defensive water line.

Nederland hield slechts enkele dagen stand, onder andere doordat Duitse soldaten met parachute door vliegtuigen achter de linie werden gedropt. Op hun beurt gebruikten de zich terugtrekkende Duitsers de stelling in 1945 en werden Canadese troepen er tot staan gebracht.

In vredestijd moesten de fortificaties bewaakt worden om, zodra er dreiging ontstond, bemand te worden met soldaten. Door de tijd ingehaald, bleken ze een 'dood weermid-

in the defence against the German invasion. The Netherlands only held out for a few days, partly because German soldiers were parachuted from planes beyond the line. When the Germans were in retreat in 1945, they in turn used the fortifications to bring the Canadian troops to a standstill. The idea was to guard the fortifications in times of peace so that they could be manned by soldiers as soon as there was a threat of an invasion. But times moved on and they became 'defunct defences'. This phrase comes from

De voormalige Grebbelinie
is tegenwoordig voor een
groot deel natuurgebied.

*Today, much of the former
Grebbe Line is a nature
reserve.*

del'. De term is afkomstig uit een verhaal van de schrijver F.B. Hotz over een commandant die in vredestijd zo'n fort moest bewaken. Tegenwoordig genieten veel fortificaties een monumentale status. De forten van de Stelling van Amsterdam behoren zelfs tot het Werelderfgoed. De Grebbelinie is grotendeels natuurgebied en van groot belang als ecologische verbindingszone. De nieuwe strategie kan als volgt worden samengevat: van dood weermiddel naar levend erfgoed.

a story by the Dutch author F.B. Hotz about a commander who had to guard one of these forts in peacetime. Nowadays many of these fortifications enjoy heritage status. The forts in the Defence Line of Amsterdam are even a World Heritage Site. The Grebbe Line consists largely of nature areas and now serves an important ecological function, linking habitats together. The new strategy can be summarised as moving from a defunct means of defence to becoming living heritage.

Typically Dutch

The customs and cuisine of a country situated by the sea at latitude 52 degrees north

Viskraam op het strand met wandelaars.

A fish stall and walkers on the beach.

Typisch Nederlands

Gebruiken en gerechten van een aan zee gelegen land op 52 graden noorderbreedte

Reisgidsen lokken toeristen met clichés: Nederland is het land van klompen, molens en klederdracht. Maar mannen en vrouwen in klederdracht zijn vrijwel uitgestorven, boeren met klompen zie je weinig meer en de resterende molens hebben als monument een educatieve functie gekregen. Elk land heeft zijn gebruiken en gerechten. In Nederland hebben die vaker met water te maken dan menigeen beseft.

Travel guides attract people by using clichés: Holland is the country of clogs, windmills and traditional costume. But nowadays, hardly any men or women wear traditional costume, almost no farmers wear clogs and the remaining windmills now have an educational function as listed buildings. Every country has its own customs and cuisine. In the Netherlands, these involve the water more often than people realise.

EDAMMER KAAS

Noord-Holland is vanwege de natte bodem vooral geschikt voor het houden van melkvee. Op de boerderijen ontroomden boerinnen de melk, waarna ze van de room boter maakten en van de melk kaas. De belangrijkste kaasmarkt van Noord-Holland was in Edam. In dit stadje werden de kazen gewogen, gekeurd en verhandeld. De Edammer kaas heeft door de eeuwen heen zijn vorm gehouden: klein en rond. Van Edam werden ze verscheept naar Amsterdam om geëxporteerd te worden over heel Europa. De stevige kazen konden langer dan een jaar bewaard worden. Toen boeren in zuivelfabrieken gingen samenwerken, verdwenen de kaasmarkten. 'Edam Holland' is sinds 2010 een door de Europese Commissie beschermd keurmerk. Edammer kaas moet altijd in Nederland en van Nederlandse koemelk gemaakt zijn. Net als Edam heeft Alkmaar een historische kaasmarkt, waar elke zomer op vaste dagen het verhandelen van de kaas wordt nagespeeld.

Nederland is het land van de kazen; een populaire bijnaam voor Hollanders is kaaskop. Nederlanders eten elk jaar gemiddeld vijftien kilo kaas en daarvoor is 150 liter melk nodig. Op verjaardagen komt de hele familie bij elkaar en worden stukjes kaas uitgedeeld die je in mosterd doopt. Op recepties zijn kaasblokjes vaak voorzien van een prikkertje met de Nederlandse vlag. Brood wordt met kaas belegd en warm eten met een kaassausje overgoten. Vanwaar al die kaas? De

The country is known for its cheeses and a common nickname for actual Hollanders (i.e. from Noord-Holland or Zuid-Holland) translates as 'cheese head'. On average, the Dutch eat 15 kilos of cheese a year and you need 150 litres of milk for that. All your relatives meet up at birthday parties, where cubes of cheese are handed out that you dip in mustard. At receptions, cheese cubes are often presented on sticks with a Dutch flag. Sandwiches have cheese on as a matter of course and hot meals

↑
Hoewel polders geschikt zijn om er vee te houden, staan koeien tegenwoordig steeds vaker het hele jaar op stal.

Although polders are suitable for cattle farming, cows are being kept indoors all year more and more often.

EDAM CHEESE

The province of Noord-Holland is very suitable for dairy farming because of its wet soil. Farmers' wives used to skim the cream from the milk at the farms, after which they made butter from the cream and cheese from the milk. The most important cheese market in the province was in the town of Edam, where the cheeses were weighed, inspected and traded. Through the centuries, Edam cheese has always had the same shape: small and round. The cheeses were shipped from Edam to Amsterdam and then exported throughout Europe. These strong cheeses could be stored for more than a year. The cheese markets disappeared when farmers started cooperative dairy factories. The 'Edam Holland' hallmark has been protected by the European Commission since 2010. Edam cheese must always be made in the Netherlands using Dutch cows' milk. Alkmaar, like Edam, has a historic cheese market and it re-enacts the trading of cheese each summer on fixed days.

De kaasmarkt van Edam heeft tot 1922 gefunctioneerd.

Edam's cheese market continued to operate until 1922.

Kazen hebben hun ronde vorm behouden in de loop der tijden. Stilleven van Floris Claesz van Dijck (1574-1651) uit 1613.

Cheeses have retained their round shape over the course of time. Still life from 1613 by Floris Claesz van Dyck (1574-1651).

landbouwgronden in de kustprovincies zijn relatief nat en voornamelijk geschikt voor het houden van melkvee. Dat levert melk, boter en kaas op. Het is daarom niet verwonderlijk dat kaas al eeuwenlang tot de belangrijkste exportproducten behoort. Goudse kaas en Edammer zijn wereldberoemd en ontlenen hun naam aan de plaats waar ze gekeurd en verhandeld werden. In 2012 is een Friese kaas (met de naam Vermeer) zelfs tot de beste van de wereld uitgeroepen.

have cheese sauce poured over them. Why all that cheese? The farmland in the coastal provinces is relatively wet and suitable above all for dairy farming. It provides milk, butter and cheese. So it is not surprising that cheese has been one of the key export products for centuries. Gouda and Edam are famous all over the world; the names come from the towns where they are inspected and traded. In 2012, a Frisian cheese (with the name Vermeer) was even voted the best cheese in the world.

NIEUWE HARING

De haringvaart heeft Holland grote welvaart gebracht. In de veertiende eeuw was het haring kaken uitgevonden. Door een deel van de ingewanden van de haring te verwijderen en de rest in het zout te leggen, bleek de vis lang houdbaar. Nu konden vissers wekenlang op zee blijven en rijke visgronden opzoeken: de haring werd aan boord gekaakt, gepekeld en in vaatjes opgeslagen. Aan wal gebrachte haring werd verhandeld en geëxporteerd. De vissersschepen maakten jaarlijks enkele reizen. De dag van het voor de eerste keer uitzeilen van de haringvloot heette buisjesdag, naar het scheepstype, de houten buis, waarmee gevaren werd. Elk jaar opnieuw gaan de schippers onderling de strijd aan om als eerste een vaatje nieuwe haring aan land te brengen. Dat vaatje wordt geveild op vlaggetjesdag en de opbrengst gaat naar een goed doel. Hollandse haring moet voldoende vet zijn en op de traditionele manier gekaakt en gezouten om deze naam te mogen dragen.

↑
*Een advertentie voor
'Hollandse Nieuwe'.*

*An advertisement for
Dutch new herring.*

DE NIEUWE HARING.

Triomf! de vreugde stijgt ten top!
Hijscht Hollandsch vlag en wimpel op,
En laat den jubeltoon steeds davren langs het strand.
Daar komt de kiel met goud belaan,
Die brengt ons de eerste haring aan;
    't Is feest in Nederland. *(bis)*

2.   't Is feest, 't is eigen Hollandsch feest,
    't Is heilig, 't brengt ons voor den geest,
Den tijd van onze roem den tijd van onze schand'
Triomf! de nacht van schande zonk,
Triomf! de dag van glori blonk
    Voor 't vrije Vaderland. *(bis)*

3.   Bataafsche maagden, rept u wat,
    Plukt bloemen voor dien kostbren schat,
En tooi dien lekkren visch met vaderlandschen zwier,
Ja, hij kwam met Oranje hier.
Dat hem dan even als weleer
    Den gouden goudsbloem sier. *(bis.)*

↑
*Ode aan de nieuwe
haring.*

*An ode to Dutch new
herring.*

NEW HERRING

Herring fishing brought great prosperity to Holland. A method for cleaning and salting herring was developed in the fourteenth century. It turned out that the fish could be preserved for longer if most of the internal organs were removed and the rest salted. Now, fishermen could stay at sea for weeks and sail to richer fishing grounds. The herring was cleaned, salted and stored in barrels on board. The herring that was landed was then traded and exported. The fishing boats made several trips every year. The day that the herring fleet put out to sea for the first time was known as *Buisjesdag*, after the type of sailing vessel that was used, the wooden *buis*. Every year the skippers still compete to be the first to land a barrel of new herring. That barrel is sold by auction on *Vlaggetjesdag* (Flag Day) and the money goes to charity. If it is to be called 'new', the herring must have sufficient fat content and must have been cleaned and salted in the traditional way.

←·····

Op vlaggetjesdag wordt het eerste vaatje nieuwe haring geveild.

The first barrel of new herring is sold by auction on Vlaggetjesdag.

↑

Viskraam op de boulevard van Zandvoort met wapperende vlaggen van de Nederlandse driekleur.

A fish stall on Zandvoort boulevard with the Dutch tricolour waving.

Buitenlanders verbazen zich over de haringkar en de bijbehorende rituelen. Nadat de nieuwe haring of maatjesharing gearriveerd is, wordt hij op straat uitgevent. Liefhebbers eten met hun jas aan deze vis rauw en uit de hand. Ze houden de staart hoog boven hun mond vast en happen de vis af tot aan die staart. De haring wordt steevast genuttigd met zuur en fijngesneden ui. De maatjesharing moet voor minimaal zestien procent van zijn gewicht uit vet bestaan en wordt tussen half mei en half

Foreigners are often astonished by the herring cart and the associated rituals. After the first soused herring of the year appears, this delicacy is sold in the street. Aficionados eat the fish raw with their hands, with their coats still on, holding the herring by the tail high above their mouth and munching the fish right up to that tail. Herring is always eaten with pickles and chopped onion. Soused herring must contain at least 16% fat and is caught between mid-May and mid-July. Fishing for herring was

juli gevangen. Enkele jaren lang mocht niet op haring gevist worden, omdat de stand door overbevissing sterk verminderd was. Elk jaar wordt opnieuw vastgesteld hoeveel haring er gevangen mag worden.

In vrijwel elk Nederlands huishouden is een ronde beschuitbus te vinden. Beschuit komt van het Franse *biscuit* en dat betekent twee-maal gebakken. Behalve het zachte en breek-bare tafelbeschuit is er het scheepsbeschuit. Dankzij dat scheepsbeschuit kon de beman-ning van een schip wekenlang overleven op zee en verre reizen maken. Scheepsbeschuit zijn keiharde, droge en zeer goed houdbare koeken. Alle vissersdorpen en havensteden hadden bakkers die scheepsbeschuit maakten. De vraag was in de gouden eeuw zo groot dat in het aanbod nauwelijks voorzien kon worden. In het plaatsje Wormer werd in 1620 de zoge-heten beschuittoren gebouwd, en klokgelui kondigde aan wanneer de tientallen bakkers met bakken mochten beginnen. Beschuit be-

banned for several years because fish stocks had been decimated by overfishing. Each year, a quota is set for the amount of herring that fishing boats are allowed to catch.

Almost every Dutch household has a round biscuit barrel. The word *biscuit* comes from the French, meaning 'baked twice'. As well as the soft and fragile table biscuits, there is also ship's biscuit. Crews were able to survive at sea and embark upon long journeys thanks to ship's biscuit. Ship's biscuit is rock hard, dry and keeps extremely well. All fishing villages and harbour towns had bakers who made ship's biscuit. Demand for it in the Golden Age was so huge that bakers could hardly keep up. In 1620, the so-called 'biscuit tower' was built in the village of Wormer, where the tolling of

In 1886 werd de zoge-heten beschuittoren in Wormer gesloopt.

The 'biscuit tower' in Wormer was demolished in 1886.

HAGELSLAG

Amsterdam is de belangrijkste stapelmarkt in de wereld voor cacao. Al sinds de gouden eeuw worden uit de hele wereld cacaobonen ingevoerd om hier te worden opgeslagen en verhandeld. De bonen komen van de cacaoboom, en cacaoplantages vind je in landen rond de evenaar. Behalve handelaren in cacao kwamen er in en rond Amsterdam ook bedrijven die chocolade van cacao maken. Een van de producten is een Nederlandse uitvinding: chocoladehagelslag, gemakshalve hagelslag genoemd, een broodbeleg dat je alleen in Nederland en België aantreft. Vooral kinderen vinden het lekker en leuk om de kleine stukjes chocolade uit een pak over hun boterham te strooien. De korrels blijven in de boter plakken en kunnen zo niet van je boterham af rollen. Hagelslag moet overigens ten minste 45 procent cacao bevatten. Behalve op brood kom je hagelslag ook tegen op bonbons, truffels, toetjes, vla, ijs, taarten en koekjes.

hoorde echter niet tot het alledaagse voedsel van Jan en alleman; het zachtere beschuit was duur en werd alleen voor feestelijke gelegenheden in huis gehaald. Dit is een van de meest waarschijnlijke verklaringen voor het ontstaan van de typisch Nederlandse traditie dat bij de geboorte van kinderen het kraambezoek op beschuit met muisjes wordt getrakteerd. Die muisjes zijn gesuikerde anijszaadjes; witte en roze muisjes bij de geboorte van een meisje, witte en blauwe bij die van een jongen.

the bells told the dozens of bakers when they could start baking. Biscuit was not the everyday food of everyday people, though; soft biscuit was expensive and was only bought for festive occasions. This is most likely how the typical Dutch tradition came about of handing out biscuit with a sugar-bead coating on the birth of a child. The beads are sugar-coated anise seeds; white and pink for a baby girl or white and blue for a baby boy.
In winter, as soon as the ice is thick enough,

⇧
Bij kraamvisite wordt getrakteerd op beschuit met muisjes.

Biscuits with sugared anise seeds are handed out when a child is born.

SPRINKLES

⟵·····

Chocoladehagelslag is typisch Nederlands broodbeleg.

Chocolate sprinkles are a typically Dutch topping for your sandwich.

Amsterdam is the world's key commodity market for cocoa. Cocoa beans have been imported from all over the world and stored and traded here ever since the Golden Age. Cocoa tree plantations can be found in the countries around the equator. As well as the cocoa traders, companies that made chocolate from cocoa also settled in and around Amsterdam. One of their products is a Dutch invention: chocolate sprinkles called *hagelslag*, a topping for your bread that can only be found in the Netherlands and Belgium. Children in particular are fond of it and love to spread the tiny pieces of chocolate over their bread. The chocolate granules stick in the butter so that they don't fall off the bread. These sprinkles have to contain at least 45 per cent cocoa. As well as on bread, you may see them on bonbons, truffles, desserts, custard, ice cream, pastries and biscuits.

↑

Koek-en-zopiekraam op het ijs door J.G. Heijberg (1869-1952).

A snacks and drinks stall on the ice by J.G. Heijberg (1869-1952).

Zodra het ijs dik genoeg is, worden de schaatsen ondergebonden. Typisch Nederlands zijn de koek-en-zopiekramen, die op het ijs worden gezet. Uit eenvoudig opgetrokken bouwsels met tentdoek worden warme versnaperingen verkocht, zoals chocolademelk, erwtensoep en worsten. Het woord 'zopie' betekent oorspronkelijk een slok sterke drank. De zopie zou een mengsel zijn geweest van bockbier en rum, op smaak gebracht met kruiden. IJspret zonder koek en zopie is haast ondenkbaar.

people put on their skates. The snacks and drinks stalls that are placed on the ice are typically Dutch, selling hot chocolate, pea soup and sausages, for example, from simple constructions covered with canvas. The Dutch word *zopie* used for the drinks in these stalls originally meant a shot of spirits, supposedly a mixture of bock beer and rum, flavoured with herbs. Having a good time on the ice without snacks and drinks would be almost unthinkable!

Een voorbode van het voorjaar is het eerste kievitsei. Deze karakteristieke weidevogel broedt al vroeg in open, vochtig grasland. Het vinden en aanbieden van het eerste kievitsei is een traditie die op gespannen voet is komen te staan met natuurbeleid. Het eerste ei wordt aan de Friese commissaris van de Koningin aangeboden; vervolgens wordt ook een eerste ei aangeboden aan alle 27 Friese gemeenten. Het is een sport de eerste vinder te zijn. Volgens de Europese wetgeving is het verboden de eieren te rapen, maar de provincie Friesland verleent ontheffing op cultuurhistorische gronden. Een kievitsei is een lekkernij en elk jaar mogen er in maart bijna zevenduizend geraapt worden. Aangezien het aantal broedende kieviten in Friesland al jaren daalt, mag verwacht worden dat dit gebruik zijn langste tijd gehad heeft.

The first lapwing's egg heralds the spring. This familiar meadow bird builds its nest very early, in open and moist grassland. Finding the first lapwing's egg is a traditional pastime, but one that has started to conflict with nature policy of the Netherlands. The first egg is offered to the Queen's Commissioner for Friesland, after which a first egg is also offered to all 27 Frisian municipalities. Trying to find the first egg is almost a sport. Gathering eggs is not allowed under European legislation, but the province of Friesland has been granted a dispensation for cultural and historical reasons. Lapwing's eggs are a delicacy and nearly seven thousand eggs may be gathered every year in March. As numbers of breeding lapwings in Friesland have been falling for years, it is likely that this tradition will soon have had its day.

*De kuikens van een
kievit zijn pas na vier tot
vijf weken zelfstandig.*

*Lapwing chicks only become
independent after four to
five weeks.*

↓·

Seepage and sewage

Clean drinking water and the sewer system are the key aspects underpinning public health

Stukken plastic, klein en groot, in een Amsterdamse gracht. Plastic soep is overal.

Pieces of plastic, large and small, in an Amsterdam canal. Plastic soup can be found everywhere.

Zuivere kwel

Schoon drinkwater en riolering vormen de belangrijkste basis voor de volksgezondheid

Nederland is continu in de weer met zijn water-huishouding en balanceert tussen overschot en tekort, zoet en zout, aan- en afvoer, schoon en vervuild. Dit land heeft de beste kwaliteit drinkwater ter wereld. Nederlanders douchen met drinkwater en spoelen er hun toilet mee door. Installaties zuiveren het afvalwater, maar microplastics laten ze door – met nog onbekende gevolgen voor mens en milieu.

Work on water management never ends: the Netherlands balances between surplus and shortage, fresh and salt, supply and discharge, clean and polluted. It has the best quality drinking water in the world and the Dutch also use it for showering and for flushing their toilets. Wastewater purification plants let micro-plastics through, with consequences for humans and the environment that are still unknown.

*Waden door kwelwater.
Rivierdijken laten bij
hoogwater soms kwel-
water door.*

*Wading through seepage
water. River dykes some-
times let water seep up at
high tide.*

Water stroomt altijd van hoog naar laag, ook
ondergronds. In lage gebieden komt grondwater als kwel aan de oppervlakte. Uit polders
moet het toestromende water vrijwel permanent worden weggepompt, anders staan ze
binnen de kortste keren blank. Soms is kwelwater geschikt om drinkwater van te maken.
De Bethunepolder bij Maarssen bijvoorbeeld
produceert zevenhonderd liter goed kwelwater
per seconde. Dit water is eerder als regen op
de Utrechtse Heuvelrug gevallen. Andere pol-

Water always flows from high to low areas,
even underground. In low areas, groundwater
can reach the surface as seepage. Incoming
water entering polders has to be pumped away
almost continuously or else they would quickly
get flooded. Sometimes drinking water can
be made from the water that seeps up. The
Bethunepolder near Maarssen yields seven
hundred litres of good seepage water per
second, for example – water that fell earlier as
rain on the Utrecht Hill Ridge. Other polders

De Bethunepolder bij
Maarssen is een kwel-
polder en een belangrijk
waterwingebied.

*The Bethunepolder near
Maarssen is a seepage
polder and a very impor-
tant water collection area.*

Een beproefde manier om
regenwater op te vangen
en te bewaren is de
regenton.

*A tried and tested method
for collecting and storing
rainwater is the rain
barrel.*

ders hebben juist last van zoute kwel, zeewater dat ondergronds binnendringt en opborrelt. Dit leidt tot een te hoge zoutconcentratie, die schadelijk is voor landbouwgewassen. De eenvoudigste manier om in drinkwater te voorzien is het opvangen van regenwater in een ton. Kustgebieden met brak en ondrink- baar grondwater waren vroeger uitsluitend aangewezen op regenwater. Veel gebouwen hadden waterkelders of regenbakken om ook in droge tijden over een voorraad water te

have problems with salt in the seepage, where seawater permeates the area underground and then bubbles up. This can cause very high salinity levels, which are harmful to crops. The simplest way to provide drinking water is to collect rainwater in barrels. Coastal areas with brackish and undrinkable groundwater used to depend entirely on rainwater. Many buildings had water cellars or water reservoirs to make sure they had stocks of water for dry periods too. Wells were dug at sites where the

MICROPLASTICS DOOR HET DOUCHEPUTJE

In een aanzienlijk aantal verzorgingsproducten zitten microplastics. De meeste mensen zijn zich er niet van bewust dat die door het doucheputje wegspoelen. Via het riool komen de plastic deeltjes bij de waterzuiveringsinstallaties terecht. Die zijn daar niet op gebouwd. Een groot deel komt in het oppervlaktewater en uiteindelijk ook in zee terecht. Bekend is dat vissen, maar bijvoorbeeld ook mosselen en wormen, microplastics eten, omdat ze die niet kunnen onderscheiden van voedsel. Bekend is ook dat gifstoffen (zogeheten POP's, *persistent organic pollutants*) zich gemakkelijk aan de bolletjes hechten. Niet bekend is de mate waarin die gifstoffen via plastic in de voedselketen terechtkomen. Producenten van gezichtsverzorgers worden nog niet aansprakelijk gesteld voor de gevolgen, en kiezen microplastics omdat die goed schuren en lekker scrubben. In vergelijking met alternatieve en wel afbreekbare ingrediënten, zoals zoutkristallen of gemalen notenschillen, behalen ze met plastic meer winst.

Waterput in het vesting-
stadje Bourtange.

*A well in the fortified town
of Bourtange.*

beschikken. Waar grondwater wel drinkbaar is en schoner dan oppervlaktewater werden waterputten geslagen. Het water werd uit zo'n put naar boven gehaald met behulp van emmer en touw. Veel huizen en boerderijen beschikten voor drinkwater over een handpomp. Wie geen eigen pomp had, ging emmertjes water halen bij de openbare stads- of dorpspomp. Stilstaand water was onbetrouwbaar als drinkwater. Om niet ziek te worden werd in plaats van water dunbier of scharrebier gedronken.

groundwater was drinkable and cleaner than surface water. Water was raised from these wells with buckets and ropes. Many homes and farms had hand-pumped wells for their drinking water. If you did not have a pump of your own, you could fetch buckets of water from the public pump in the town or village. Stationary or stagnant water was not a reliable source of drinking water. People drank light beer instead of water to avoid getting sick. This sour-tasting beer was inexpensive and had a

Hardstenen dorpspomp
uit 1864 in het Brabantse
Eersel.

*Bluestone village pump
dating back to 1864 in
Eersel, Brabant.*

In veel verzorgingsproducten zitten stukjes plastic. Dit is de hoeveelheid van één flacon.

A lot of personal care products contain plastic beads. This is how much there is in a single bottle.

A large number of all personal care products contain microplastics. Most people do not realise what they are flushing down the drain. These plastic particles go into the sewers and end up in the wastewater purification plants, which are not designed to handle them. A large proportion of the particles then end up in the surface water and finally in the sea too. We know that not only fish but also mussels and worms, for instance, eat microplastics because they are not able to distinguish them from food. It is also known that toxins (also known as POPs, persistent organic pollutants) stick to the particles easily. The extent to which those toxins end up in the food chain through plastics is not known. Manufacturers of facial care products have not been held to account yet for the consequences and continue to choose microplastics because they scour well and scrub nicely. Compared to other alternatives and biodegradable ingredients such as salt crystals or ground nutshells, using plastics is simply more profitable.

Het ophalen van emmertjes met uitwerpselen.

Collecting buckets of excrement.

Dit zuur smakende bier was goedkoop en had een laag alcoholpercentage. Tijdens het brouwen worden schadelijke bacteriën gedood. Ook koffie en thee waren veilig om te drinken, omdat het water eerst gekookt werd. Tot ver in de twintigste eeuw deden de meeste mensen hun behoefte nog op poepemmers, met als gevolg dat grachten en rivieren stinkende open riolen waren. Met name in de grote steden en andere plaatsen waar veel mensen dicht op elkaar leefden, vormden

low alcohol content. Harmful bacteria are killed during the brewing process. Coffee and tea could be drunk safely too, because the water was boiled first.
Until well into the twentieth century, most people used latrine buckets that were emptied into the canals and rivers, turning them into stinking, open sewers. Water reservoirs, pumps and wells were a hazard to public health, particularly in the large cities and other places where many people lived close to each other.

De Nederlandse bodem verdroogt en dat heeft diverse oorzaken. De landbouw heeft baat bij een lage grondwaterstand. In droge periodes beregenen boeren hun gewassen met grond- en slootwater, waarbij veel water verdampt. Grondwater wordt opgepompt voor drinkwater. Veel regen sijpelt niet meer, zoals vroeger, in de bodem. In plaats daarvan wordt het opgevangen door daken en bestrating en via het riool afgevoerd. Permanente bemaling van de polders onttrekt veel grondwater aan de omgeving. Bovendien is het de verwachting dat de zomers heter en droger worden door klimaatverandering. Dat het grondwaterpeil zakt, is schadelijk voor planten en dieren die alleen in een voldoende natte omgeving kunnen leven. Soms moet tussen twee kwaden gekozen worden: verdroging of het inlaten van vervuild oppervlaktewater om de gewenste grondwaterstand te bereiken. Ondanks een keur van uitgevoerde maatregelen door overheid, waterschappen en natuurbeheerders wordt het ogenschijnlijk natte Nederland steeds droger.

regenputten, pompen en waterbronnen een gevaar voor de volksgezondheid. In Londen is ontdekt dat de cholera-epidemie van 1854 veroorzaakt was door besmet drinkwater uit een waterpomp. In die tijd zijn de eerste waterleidingen in Nederland aangelegd. Al snel bleek dat het aantal ziektegevallen hierdoor afnam. De aanleg van riolering volgde later en gaat tot vandaag de dag door. Steeds meer huizen, boerderijen en woonboten zijn op het riool aangesloten. In een periode van ruim een

It was discovered in London that the 1854 cholera epidemic was caused by contaminated drinking water from a water pump. In the Netherlands, the first water supply systems were constructed around then and it was soon clear that this reduced the number of cases of illness. Sewers were constructed later on and they are still being constructed even today. More and more homes, farms and houseboats are connected to the sewer system. The supply and discharge of water have been kept fully

↑

Leven zonder waterleiding en riool. Tekening van Willem Hekking (ca. 1853).

Life without a water supply and a sewer system. Willem Hekking (c. 1853).

HOLLAND IS DRYING OUT

The Dutch soil is drying out and there are a number of reasons why. The agricultural sector benefits from low groundwater levels. Farmers use groundwater and ditch water in dry periods to spray their crops, causing much evaporation. Groundwater is also pumped up for drinking water. Nowadays, not so much rain seeps into the soil. Instead, rainwater is collected as it runs off roofs and roads and then discharged through the sewers. A lot of groundwater is removed from the environment because the polders are being drained all the time. It is also expected that the climate change will make the summers hotter and drier. Low groundwater levels are harmful to those plants and animals that can only live in a sufficiently wet environment. Sometimes you have to choose the lesser of two evils: drying out, or letting in contaminated surface water to achieve the desired groundwater levels. Although the government, water boards and nature managers have implemented a variety of measures, Holland – wet as it may seem – is getting drier and drier.

Boeren maken bij droogte gebruik van beregeningsinstallaties.

Farmers use sprinkler systems in dry periods.

In 1983 werd de riolering op het Singel in Amsterdam vernieuwd.

The sewer system on the Singel in Amsterdam was renovated in 1983.

eeuw zijn de aan- en afvoer van water definitief van elkaar gescheiden en is het gevaar op infectieziekten geminimaliseerd.
Riolen verzamelen het afvalwater uit de huizen. Tot laat in de vorige eeuw loosde men dat afvalwater op het oppervlaktewater, of in zee. Rioolwaterzuiveringsinstallaties hebben hier verandering in gebracht. Vóór het afvalwater geloosd mag worden, moet het gezuiverd zijn door filtering, bezinking en bacteriologische afbraak. Om van dit gezuiverde water weer

separate from each other for over a century now, which has drastically reduced the risk of infectious diseases.
Sewers collect wastewater from the houses. That wastewater was discharged into the surface waters or into the sea until well into the twentieth century. Wastewater treatment plants changed that. Before wastewater is discharged, it has to be purified by filtration, sedimentation and bacterial breakdown. All kinds of additional treatments are needed to

drinkwater te maken zijn allerlei aanvullende behandelingen nodig. Desondanks heeft Nederland het meest vervuilde oppervlaktewater van Europa. Daarvoor is met name de intensieve veeteelt verantwoordelijk en bijvoorbeeld ook het gebruik van landbouwgif. Het zeer giftige imidacloprid, in andere landen verboden, leidt onder andere tot grote sterfte onder insecten, zoals bijen.

Nauwelijks lijkt goede volksgezondheid door drinkwatervoorziening en riolering verzekerd, of er doemt een nieuw probleem op. 'Plastic soep' is de term voor de almaar groeiende hoeveelheid plastic afval in water, met name in rivieren, zeeën en oceanen. Plastic breekt niet af, maar degradeert wel tot heel kleine stukjes die overal in de wereld terug zijn te vinden. In elke hand zand van het strand zitten plastic deeltjes die nauwelijks van zandkorrels te onderscheiden zijn. Door het wassen van polyester kleding komen plastic vezels in het riool; per wasbeurt zijn dat er honderden. Verzorgingsproducten als douche-gels, tandpasta en vooral gezichtsverzorgers bevatten

turn this purified water into drinking water again. Nevertheless, the Netherlands has some of the most contaminated surface water in Europe. The main culprits are intensive livestock farming and the use of agrotoxins. The highly toxic insecticide imidacloprid, which is forbidden in other countries, also causes high mortality rates among insects such as bees. Although drinking water supplies and sewers would seem to guarantee good public health, another problem is now looming. The term 'plastic soup' is used for the continuously growing amount of plastic waste in water, particularly in rivers, seas and oceans. Plastic is not biodegradable, but breaks down instead into very tiny pieces that spread throughout the world. Any handful of beach sand contains plastic particles that can hardly be distinguished from the quartz grains. Every time you wash polyester clothing, hundreds of plastic fibres will end up in the sewer. Personal hygiene products like shower gels, toothpaste and facial skincare products in particular contain microplastics that are flushed away through

microplastics die door gootsteen en douche-putje wegspoelen. De huidige waterzuiverings-installaties zijn er niet op gebouwd ze tegen te houden, waardoor een deel in het oppervlak-tewater terechtkomt. Microplastics breken niet op natuurlijke wijze af en daardoor neemt de aanwezigheid in het milieu in hoog tempo toe. Dieren eten microplastics en zo komen ze in de voedselketen terecht. Een nieuw en nauwelijks oplosbaar probleem is geboren.

the sink and shower drains. Our current water treatment systems are not capable of remov-ing these microplastics, so a proportion ends up in the surface waters. Microplastics do not break down naturally, which means that their pervasiveness in the environment is increasing rapidly. Animals eat the microplastics and they then end up in the food chain. A new problem that is quite literally insoluble.

Rioolwaterzuiverings-
installatie van Tilburg.

Sewage purification
system in Tilburg.

Favouring transport

A long tradition of investments and innovations in maritime and inland waterway navigation, and infrastructure

De brug over de Waal bij Zaltbommel is genoemd naar de dichter Martinus Nijhoff.

The bridge over the Waal at Zaltbommel is named after the poet Martinus Nijhoff.

Vaart in transport

Een lange traditie van investeringen en innovaties in binnen- en buitenvaart, en infrastructuur

Het middeleeuwse koggeschip en het nieuwste vierhonderd meter lange megacontainerschip zijn door de geschiedenis met elkaar verbonden. Innovaties in scheepsbouw en infrastructuur gaan hand in hand. Durf en kapitaal zijn even onontbeerlijk als uitvindingen en militaire bescherming. Nederland profiteert van bevaarbare rivieren en beschutte havens, en dus vooral van handel en transport.

History links the medieval vessels known as cogs to the very latest four-hundred metre long mega-container ships. Shipbuilding innovations and infrastructure go hand in hand. Courage and capital are as indispensable as inventions and military protection. The Netherlands has always benefited from navigable rivers and sheltered harbours and therefore from trade and transport in particular.

WEGEN IN HET MOERAS

Door de eeuwen heen hebben bewoners van het laagland indrukwekkende gemeenschappelijke inspanningen geleverd om hun natte land te bedwingen en leefbaar te maken. Sommige van die inspanningen zijn alleen uit latere opgravingen af te leiden. Veenwegen of -bruggen behoren tot deze categorie. Veenmoerassen werden met kilometerslange wegen en voetpaden overbrugd om hoger gelegen delen met elkaar te verbinden. De oudste werden al in de prehistorie aangelegd. Tot in de middeleeuwen was het een beproefde manier om moerassen over te steken. Veel van deze verbindingswegen werden na verloop van tijd overwoekerd door oprukkend veen en zijn later in geconserveerde staat opgegraven. Sommige veenwegen waren drie meter breed, geschikt voor wagens, en waren onderdeel van langere handelsroutes door Noordwest-Europa. De naast elkaar gelegde houten stammetjes rustten op dwarsliggers. Verticaal in het veen geslagen houten pennen behoedden de veenweg tegen wegzakken.

Gezicht op de haven van Nijmegen. Prent van Frans Hogenberg uit ca. 1572.

View of Nijmegen harbour. Print by Frans Hogenberg from c. 1572.

Een hedendaagse impressie van het koggeschip. Tekenaar onbekend.

A modern impression of a cog by an unknown artist.

Aan bevaarbare rivieren zoals Rijn en IJssel ontstonden de eerste handelsnederzettingen, omdat ze de verbinding vormden tussen het achterland en landen over zee. Steden aan de IJssel sloten bijvoorbeeld overeenkomsten met steden rond de Oostzee. De Ommelandvaart, de kustvaart om Denemarken heen, bleek goedkoper dan transport over land via de weg over Hamburg naar Lübeck. Het Hanzeverbond was een lucratief samenwerkingsverband en het koggeschip een groot succes om vracht over zee te vervoeren.

The first trading posts were set up on navigable rivers such as the Rhine and the IJssel because they were the link between countries overseas and the hinterland. The cities on the IJssel made agreements with cities around the Baltic, for example. The Ommeland coastal navigation route around Denmark turned out to be cheaper than overland transport by road via Hamburg to Lübeck. The Hanseatic League became a lucrative cooperative venture; using cogs for transporting cargoes by sea was a great success.

ROADS IN THE MARSHES

Over the centuries, people who lived in the lowlands have made impressive common efforts to reclaim wetlands and make it possible for people to live there. Some of these efforts can only be seen from later excavations. Fen roads and fen bridges are in that category. Roads and footpaths that could be several kilometres long were built across the peat marshes to connect higher areas with each other. The oldest of them were built in prehistoric times. It was a tried and tested way to cross marshes until well into the Middle Ages. Many of these connecting roads were overgrown in the course of time by the advancing peat and found to be well preserved when excavated later on. Some of these fen roads were three metres wide and suitable for carts. They were part of longer trade routes through north-western Europe. Logs were placed next to each other, resting on sleepers. Poles driven vertically into the peat prevented the fen roads from sinking into the ground.

In 1926 werd een on-geveer 2600 jaar oude veenweg opgegraven in het Drentse Exloo.

A peat road approximately 2600 years old was excavated in 1926 in Exloo, Drenthe.

Transport met fluiten legde de basis voor de Hollandse gouden eeuw.

Transport by flute laid the foundation for Holland's Golden Age.

Een innovatieve opvolger van de kogge was het fluitschip, een snel en stabiel vrachtschip met een smal dek, waarvoor relatief weinig bemanning nodig was. Na de uitvinding van de houtzaagmolen aan het einde van de zes-tiende eeuw konden fluitschepen in recordtijd gebouwd worden, naar schatting tussen de vier- en vijfhonderd per jaar. De handel op de Oostzeelanden vormde de economische basis voor andere grote successen in Hollands gouden eeuw.

An innovative successor to the cog was known as the flute, a rapid and stable cargo vessel with a narrow deck. It only required a relatively small crew. After the sawmill was invented at the end of the sixteenth century, flutes could be built in record time, with an estimated production of from four to five hundred a year. Trade with the Baltic states was the economic basis for other major successes in Holland's Golden Age.

ORIENTALIS INDIÆ *Societatis Horreum Maritimum; ad Yam.* ǁ *'t OOST INDISCH ZEE MAGAZYN, aan het Ykant op Oostenburg; geboud in het iaar. 1660.*
P. Schenck exc: Amst: C. Priv:

←·····

Prent van het Oost-indisch zeemagazijn en de scheepswerf van de VOC in Amsterdam.

Print of the East India marine store and the East India Company shipyard in Amsterdam.

De twee grote compagnieën uit het begin van de zeventiende eeuw kregen het alleenrecht op handel en hadden vestigingen over de hele wereld. Ze hadden toestemming forten te bouwen, oorlog te voeren, schepen van vijandige mogendheden te kapen, en verdragen te sluiten met plaatselijke koningen. Alles draaide erom handel en winsten veilig te stellen. De Vereenigde Oostindische Compagnie (VOC), opgericht in 1602, is achteraf beschouwd de eerste multinational ter wereld en werd gefi-

The two largest companies at the beginning of the seventeenth century were granted a monopoly on trade and they established branches all over the world. They had permission to build fortresses, wage wars, seize ships belonging to hostile powers and sign treaties with local rulers. It was all about securing trade and profits. With hindsight, the Dutch East India Company (or VOC), which was founded in 1602, was the first multinational in the world and it was financed with private capital in the

←·····

Houtzaagmolen Het Jonge Schaap aan de Zaanse Schans, waar een boomstam in planken wordt gezaagd.

The Jonge Schaap sawmill in Zaanse Schans, where a tree trunk is being sawn into planks.

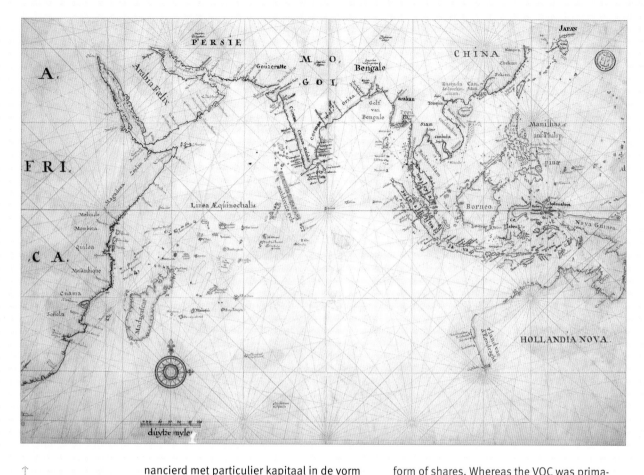

↑

Het handelsgebied van de VOC lag tussen Kaap de Goede Hoop en Straat Magellaan.

The trading area of the VOC stretched from the Cape of Good Hope to the Straits of Magellan.

nancierd met particulier kapitaal in de vorm van aandelen. Waar de VOC zich vooral bezighield met handel in specerijen, ontwikkelde de West-Indische Compagnie (WIC) een lucratieve driehoekshandel: in Afrika werden slaven geronseld en geruild tegen handelswaar die uit Holland was meegenomen; in Amerika werden de slaven verkocht om op plantages te werken; producten van die plantages, zoals suiker, werden weer naar Holland vervoerd en verder verhandeld. Nederland schafte de slavernij af

form of shares. Whereas the VOC was primarily involved in the spice trade, the Dutch West India Company (or WIC) developed a lucrative triangular trade route: in Africa, slaves were taken in exchange for merchandise that had been brought from the Netherlands; the slaves were sold in America to work on plantations; the products of those plantations, such as sugar, were transported back to the Netherlands, where they were traded. Slavery was abolished in the Netherlands in 1863, which is quite late

⋯⟩

VOC-letters in Kaap de Goede Hoop.

VOC letters in the Cape of Good Hope.

⋯⟩ ⋯⟩

De indeling van een slavenschip.

The layout of a slave ship.

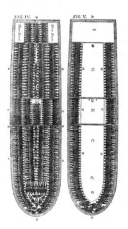

Trekschuiten zijn de voorlopers van treinen en bussen. Het openbaar vervoer tussen de zestiende en negentiende eeuw zag er als volgt uit. Voor elke bestemming betaal je een vast bedrag. In een almanak of elders heb je gelezen wat de reguliere vertrek- en aankomsttijden zijn. Dan stap je in een lichte schuit met platte bodem en je neemt plaats op een van de banken. In de kajuit ben je beschut tegen wind en regen. Soms kun je eerste klas kiezen, een ruimte met iets meer comfort. Niet in het midden, maar vóór aan het schip staat een korte mast, waaraan een touw is bevestigd. Aan wal trekt een paard de schuit. Dat paard loopt over het jaagpad, dat langs de gegraven trekvaart ligt. Voor langere reizen stap je over. Er is altijd wel een herberg om in te overnachten. Tot de komst van de diligence, door paarden getrokken, geveerde koetsen voor personen- en postverkeer en daarna de spoorwegen, was de trekschuit de comfortabelste en betrouwbaarste wijze van transport.

←······
Trekschuit-verbindingen tussen Noord-Hollandse plaatsen, circa 1800.

Tow barge connections between villages in Noord-Holland, around 1800.

↑
Ets van een Haarlemse trekschuit door Reinier Nooms, circa 1653.

Etching of a Haarlem tow barge by Reinier Nooms, around 1653.

······→
Een trekschuit legt aan bij herberg De Voetangel, H.P. Schouten, circa 1770.

A tow barge mooring at the Voetangel inn, by H.P. Schouten, around 1770.

in 1863, laat in vergelijking met andere landen, na in totaal ruim een half miljoen slaven van Afrika naar Amerika te hebben overgevaren. De binnenvaart werd al vroeg aan regels onderworpen. Aangeboden vracht werd verdeeld onder schippers die op hun beurt moesten wachten. De beurtvaart bleek een succesvol systeem, want aanbieders van vracht waren altijd verzekerd van korte wachttijden. Schippers konden weliswaar minder vaak uitvaren, maar waren wel verzekerd van vracht en dus van in-

in comparison with other countries, after it had transported a total of more than half a million slaves overseas from Africa to America. Inland navigation had been subject to rules from an early stage. The cargoes on offer were divided among skippers who had to wait their turn. This regular barge service turned out to be a successful system, because those who wanted cargoes transported were always sure that waiting times would be short. Although the skippers perhaps got to sail less often,

THE TOW BARGE

Tow barges are the precursors of trains and buses. Public transport from the sixteenth to the nineteenth century looked like this. A fixed fare had to be paid for every destination. You would already have seen the regular departure and arrival times in an almanac or elsewhere. You step into a flat-bottomed boat and take a seat on one of the benches. The cabin protects you from the wind and rain. Sometimes you can choose first class, which offers more comfortable accommodation. At the front of the ship, rather than in the middle, there is a short mast with a rope tied to it. The barge is drawn by a horse on the shore, walking along the towpath, parallel to the man-made canal. You may have to change boats if you are making a longer journey. And there is always an inn where you can stay overnight. Towed barges were the most comfortable and most reliable means of transport until the arrival of the diligence, a stagecoach with sprung suspension drawn by horses that was used for personal travel and postal deliveries. And then of course, later on, the railways.

◄----

Het grootste binnenvaart-
containerschip vervoert
net zo veel als vijf goederentreinen.

*The biggest container ship
on the inland waterways
carries as much cargo as
five freight trains.*

komst. Amsterdam was in de achttiende eeuw
via beurtveren met circa 180 andere plaatsen
verbonden en wekelijks waren er meer dan
achthonderd afvaarten. Met zijn stelsel aan
vaarwegen beschikte Nederland over een
bijzonder efficiënt vervoerssysteem. Om niet
afhankelijk te zijn van de wind werden lange,
rechte vaarten gegraven waarlangs schuiten
door paarden getrokken werden. Ook de
communicatie profiteerde van trekschuiten en
beurtschippers die op vaste tijden vertrokken:
een brief werd net als tegenwoordig binnen
één dag in een andere stad bezorgd.
De Waal is de drukst bevaren rivier van Europa
en verbindt Rotterdam met het Duitse achterland. Vroeger kocht een handelaar goederen,
die hij in een pakhuis opsloeg om daarna te
verhandelen. Maar in de negentiende eeuw
werd doorvoer steeds belangrijker. Duitse
afnemers van goederen kochten hun waar niet
meer van de handelaar, maar van de produ-
cent. Deze goederen hoefden in Rotterdam niet
meer te worden opgeslagen, maar alleen nog
overgeslagen van zeeschip op binnenschip.
Rotterdam werd de grootste haven van Europa
en lange tijd zelfs de grootste ter wereld.

they were always guaranteed to get cargoes
and income. In the eighteenth century, regular
barge services connected Amsterdam to
around 180 other towns and there were more
than eight hundred departures every week.
The Dutch waterway network gave the country
a very efficient transport system. To avoid
being dependent on the wind, long straight
waterways were dug, with barges being drawn
by horses. Communications also benefited
from the tow boats and regular barge service
skippers who sailed out at fixed times. Letters
could be delivered in other towns within one
day, just like today.
The Waal connects Rotterdam to the German hinterland and it is the busiest river in
Europe. Merchants used to buy goods that
were stored in warehouses and traded later
on. Transit trade, however, became more and
more important in the nineteenth century.
German goods buyers no longer bought what
they needed from traders, but directly from the
producers. Those goods no longer needed to
be stored in Rotterdam, merely trans-shipped
from seagoing vessels to inland waterway
vessels. Rotterdam became the largest port

----→

In de later gedempte
Prinses Margriethaven
meerde in 1967 het eerste
zeecontainerschip af.

*The first seagoing
container ship moored
in 1967 in the Prinses Mar-
griet harbour. This was
blocked off later on.*

MAINPORT ROTTERDAM

Hoe groter de tonnage, des te profijtelijker wordt scheepsvervoer. Havens hebben in de loop der eeuwen steeds grotere schepen moeten faciliteren. Een voorbeeld van dit proces biedt de ontwikkeling van de Rotterdamse haven. In de jaren zestig werd Europoort aangelegd, waar de toen grootste zeeschepen ter wereld konden afmeren en hun lading overslaan. De Tweede Maasvlakte is de laatste grote uitbreiding van de haven. Hier kunnen de nieuwste megacontainerschepen afmeren die in veel andere Europese havens niet terechtkunnen vanwege hun diepgang. In Nederland is altijd een beleid gevoerd om distributie en transport te bevorderen. Maar... keert de wal het schip? Goed beschouwd valt er helemaal niet zo veel te verdienen aan transport alleen, en drukken investeringen in infrastructuur en de nadelen van de grote concentratie van transportbewegingen zwaar op de leefbaarheid van een van de dichtstbevolkte landen ter wereld.

ROTTERDAM MAINPORT

The greater the tonnage, the more profitable transport by ship becomes. Over the course of the centuries, ports have had to create facilities for bigger and bigger ships. An example of this process is the development of the port at Rotterdam. Europoort was constructed there in the 1960s as a place where the largest ocean-going ships of the day could moor and unload their goods. The Tweede Maasvlakte is the latest major expansion of the port. The latest mega-container ships, which cannot sail into many other European ports because of their draught, can moor here. The policy in the Netherlands has always been to promote distribution and transport. But maybe the tide will turn. If you think about it, you cannot make that much money from transport alone, and investments in infrastructure and the disadvantages of such a high density of transport movements have a major impact upon the quality of life in one of the most densely populated countries.

↑

Deel van Mainport Rotterdam uit de lucht gezien.

Part of the Rotterdam Mainport viewed from the air.

↑

Een binnenvaartschip voor het vervoer van containers vaart in de haven van Rotterdam.

An inland waterway barge for container transport sails into Rotterdam harbour.

←

De Botlek, met veel petrochemische industrie, is onderdeel van Mainport Rotterdam.

The Botlek, which has a lot of petrochemical industry, is part of Rotterdam Mainport.

De haven is de laatste jaren uitgebreid met een groot industriegebied, dat zelfs voor een deel in zee is komen te liggen. Op de Maasvlakte wordt olie opgeslagen en bulk als kolen en erts. Hier meren de grootste containerschepen ter wereld af en vindt dag en nacht overslag van goederen plaats op vrachtauto's, binnenschepen en treinen. De aanleg van de peperdure spoorlijn speciaal voor deze goederen is misschien wel de grootste infrastructurele blunder uit de naoorlogse geschiedenis.

in Europe and even the largest port in the world for quite some time. Over recent years, the port has been expanded to include a huge industrial zone, part of which is even located in the sea. Oil and bulk goods such as coal and ore are stored on the Maasvlakte. The world's largest container ships can moor here and goods are trans-shipped 24 hours a day onto trucks, inland waterway vessels and trains. The construction of an extremely expensive railway specifically for these goods

De Betuwelijn, op zichzelf een knap staaltje ingenieurswerk, werd parallel langs de Waal aangelegd. De binnenvaart kan de concurrentie met het spoor gemakkelijk aan. Eén binnenvaartschip kan evenveel containers vervoeren als vijf of zes goederentreinen, en doet dat ook nog eens stiller en veiliger. Even waren de Nederlandse beleidsmakers de voordelen vergeten van vervoer over water.

may turn out to be the biggest infrastructural blunder in post-war history. The Betuwe Line may be a wonderful piece of engineering, but it was constructed parallel to the Waal and it is easy for inland navigation to compete with the railway. A single inland waterway barge can carry as many containers as five or six goods trains. More quietly and more safely, at that. For a moment, Dutch policy makers overlooked the advantages of transport by water.

Kruisende infrastructuur.
Beroepsvaart onder een
spoorbrug over de Maas.

Intersecting infrastructure.
Inland shipping under a rail-
way bridge across the Maas.

Sports and recreation

Water is an age-old favourite for exercise and relaxing, and there are plenty of pastimes to choose from

Een traditioneel zeilschip zeilt een van de Friese meren over.

A traditional sailing ship sails across one of the Frisian lakes.

Sport en recreatie

Voor inspannen én ontspannen is water vanouds geliefd; oneindig veel zijn de manieren waarop

Waar sport ophoudt en recreatie begint, is niet precies vast te stellen. Water en ijs zijn voor beide uitermate geschikt. Zwemmen doe je voor je plezier, je conditie of om te winnen, en ligt er ijs, dan schaats je. De verkoelende duik na een zonnebad, een uurtje aquajoggen, naar de dobber van een hengel staren of gewoon wat spelevaren... sport en recreatie in Nederland: voor elk wat wils.

It is hard to say exactly where sports end and recreation starts, but it is clear that water and ice are very suitable for both. People may swim for fun, to keep fit or to win races. If there is ice, people go skating. A cool dip after sunbathing, an hour of aquajogging, staring at the float of a fishing rod, or just messing about in boats... sports and recreation in the Netherlands have something for everyone.

Boeren gebruikten lange stokken om weilanden te bereiken die door sloten van elkaar gescheiden waren. Aan de onderkant van zo'n stok was een blok bevestigd om wegzakken in de modder
te voorkomen. Soldaten hadden ooit speren die tevens als polsstok te gebruiken waren. Polsstokverspringen is uitgegroeid tot een wedstrijdsport, die vooral in Friesland beoefend wordt en
daar *fierljeppen* heet. Bij wedstrijden plaats je eerst de meterslange stok in het water, je neemt
een stevige aanloop, zet je af en klimt in de stok omhoog. De techniek is ingewikkelder dan het
lijkt. De kunst is om hoog in de stok te springen en te zorgen dat de stok langzaam over zijn dode
punt heen gaat, zodat je genoeg tijd hebt om hoger te klimmen. Maar als je te hoog springt, valt
de stok eerder om en heb je niet genoeg tijd om te klimmen. Het record polsstokverspringen
staat op ruim 21 meter.

In bijna geen enkel ander land is sloeproeien
een sport. Sloepen zijn reddingsboten, die aan
boord van grotere schepen werden meegenomen en waarin plaats is voor zes tot twaalf
roeiers. De matrozen van toen zijn de wed-
strijdroeiers van nu. Jaarlijks zijn er meerdere
competities. Tot de klassiekers behoren een
sloepenrace in de grachten van Amsterdam
en de oversteek van het Friese Harlingen naar
het Waddeneiland Terschelling. In Friesland
worden nog andere sporten beoefend die

Sloop rowing is a sport that can hardly be
found in any other country. Sloops are lifeboats
that used to be taken on board larger ships,
each with room for six to twelve rowers. The
sailors of those days are the competition
rowers of today. Lots of competitions are held
every year. Classic races include a sloop race
on the canals of Amsterdam and the crossing
from the town of Harlingen in Friesland to the
island of Terschelling. Other sports with origins
in occupations from the past are practised in

↑
*Bij de Maasrace Rotterdam
starten alle sloeproeiers
op hetzelfde moment.*

*All sloop rowers start at
the same time in the
Rotterdam Maas Race.*

CANAL JUMPING

*Wie de techniek van pols-
stokverspringen beheerst,
maakt verre sprongen.*

*People who know how
to canal jump can clear
surprising distances.*

Fields are often separated by ditches in the Netherlands and in days gone by farmers used long poles to get from one field to the next. The poles had blocks on the bottom end so that they would not sink into the mud. Soldiers used to have spears that could be used as vaulting poles too. Canal jumping has grown into a competitive sport, practised in Friesland in particular where it is known as *fierljeppen*. In competitions, you have to place your very long pole in the water, and then you take a run-up, push off and climb the pole. It is more difficult than it looks. The trick is to jump high up the pole and make sure that the pole only passes the centre point slowly, giving you enough time to climb higher. If you jump too high, though, the pole will overbalance more quickly and you will not have enough time to climb it. The record distance for canal jumping is currently more than 21 metres.

*Deelnemers aan de
Elfstedentocht bij
Hindeloopen in de
strenge winter van 1963.*

*Elfstedentocht partici-
pants at Hindeloopen
in the harsh winter of
1963.*

voortkomen uit vroegere beroepen. Uit de manier waarop boeren over een sloot sprongen,
is later polsstokverspringen ontstaan, en *skûtsjesilen* is een jaarlijks terugkerende wedstrijd
met oude zeilschepen – skûtsjes – waarmee
vroeger vracht werd vervoerd.
Het bekendste sportevenement is zonder enige
twijfel de Elfstedentocht. Het begon ooit met
drie Friese mannen die in een strenge winter
op één dag alle elf steden van Friesland op
de schaats aandeden en daarmee de krant

Friesland too. Canal jumping came from the
way farmers used poles to vault over ditches.
And *skûtsjesilen* is an annual competition with
old sailing boats – *skûtsjes* – that were once
used for cargo transport.
The Elfstedentocht (the Eleven Cities skating
race) is undoubtedly the best-known sporting
event. It started when three Frisian men once
skated to all the eleven main towns in Friesland in a single day during a harsh winter. The
feat reached the newspapers and a tradition

---

haalden. Een traditie was geboren. Wie binnen een vastgestelde tijd de tocht van bijna twee-honderd kilometer uitrijdt en alle stempels verzameld heeft, ontvangt het felbegeerde elfstedenkruisje. De populariteit van de 'tocht der tochten' heeft er ongetwijfeld mee te maken dat hij zelden georganiseerd kan worden. Het hoeft echter maar even flink te vriezen, of de bevolking wordt dagenlang via de media in spanning gehouden en de vereiste dikte van het ijs is een nationaal gespreksonderwerp. Collectief wordt gewacht op de verlossende Friese uitspraak: 'It giet oan!' De laatste keer dat de tocht gereden werd, was in 1997. Elke winter wijken honderden liefhebbers uit naar de Oostenrijkse Weissensee om daar die twee-honderd kilometer te schaatsen.

Vanwege het vele water is het niet verwon-derlijk dat Nederland uitblinkt in bepaalde sporten. Wereldrecords worden relatief vaak gebroken door schaatsers, roeiers, zeilers of zwemmers die voor de Nederlandse driekleur uitkomen. Records die niet gaan om een honderdste van een seconde, trekken even-goed de aandacht: een meisje dat alleen om de wereld zeilt, een man die bijna twee uur

was born. Completing the course of almost two hundred kilometres within a set time and col-lecting all the required stamps on the way gets you the highly prized Eleven Cities Cross. The fact that this 'race to end all races' can only rarely be organised, is undoubtedly one reason for its popularity. The temperature only has to drop well below zero for a couple of days and the entire country will be following media reports impatiently. Whether the ice is thick enough yet to take the thousands of competi-tors becomes the talk of the day throughout the Netherlands. They are all waiting for the Frisian words 'It giet oan!' (It's on!). The last time the race was held was in 1997. Every win-ter hundreds of skating fans go to Weissensee in Austria to skate those same two hundred kilometres there.

Because there is so much water in the Neth-erlands, it is not surprising that the Dutch excel in certain sports. Skaters, rowers, sailors or swimmers representing the Dutch tricol-our break world records relatively often. But records that are not just about knocking off a hundredth of a second also get plenty of atten-tion: a girl sailing solo around the world, a man

Een wedstrijd paalzitten in het Noord-Hollandse plaatsje Kolhorn (2009).

A pole-sitting contest in the village of Kolhorn in Noord-Holland (2009).

De Nederlander Wim Hof, bekend als de ijsman, kan extreme kou weerstaan.

The Dutchman Wim Hof, also known as the Ice Man, can withstand extreme cold.

⋯⟩

*De jachthaven van
Blokzijl, een oude stad in
de provincie Overijssel.*

*The marina of Blokzijl, an
old town in the province
of Overijssel.*

lang in een bak vol ijs zit, of een drietal dat het record paalzitten vestigt door dat zestig uur vol te houden.

Veel mensen bezitten een boot voor ontspanning. Nederland heeft circa achthonderd jachthavens met in totaal 138.000 ligplaatsen. Hoe omvangrijk de pleziervaart is, blijkt op zomerse dagen met een beetje wind, als meren en plassen druk bevaren worden. Wie zelf geen boot bezit en toch wil varen, heeft mogelijkheden genoeg. Met een riviercruise verken je

who can sit in a tank full of ice for almost two hours, or the three who set a pole-sitting record by doing so for sixty hours.

A lot of people have recreational boats. There are about eight hundred marinas in the Netherlands with 138,000 berths in total. The popularity of boating for pleasure can be seen on any slightly windy summer day, when numerous boats will be sailing on lakes large and small. There are lots of options if you do not have a boat of your own, but still want to go out. You

⋯⟩

*In 2011 kreeg Amsterdam
er een nieuwe attractie bij,
de rijdende en varende
Amfibus, voor het gere-
noveerde Scheepvaart-
museum.*

*Amsterdam gained an
additional attraction in
2011, the amphibious
Amfibus, here in front of
the renovated National
Maritime Museum.*

Op haar tiende droomde Laura Dekker er al van alleen de wereld rond te zeilen. Ze was dertien toen ze alleen heen en weer naar Engeland zeilde. Toen ze haar plannen wereldkundig maakte en ook bleek dat haar ouders haar steunden, grepen Bureau Jeugdzorg en de Raad voor de Kinderbescherming in. Uiteindelijk werden de ouders van Laura niet uit de ouderlijke macht ontzet en oordeelde de rechter dat de verantwoordelijkheid voor de beslissing bij hen lag. Laura trok twee jaar uit voor de reis. Na 27.000 zeemijlen kwam ze in januari 2012 aan op Sint-Maarten. Ze was de jongste solozeilster die deze prestatie ooit had geleverd, maar het record werd niet erkend door *The Guinness Book of Records*. De redactie had in 2009 besloten de categorie 'jongste' niet meer op te nemen om zo recordpogingen door minderjarigen niet aan te moedigen.

Zeilschepen van de bruine vloot herken je aan de kleur van het zeildoek.

'Brown fleet' sailing ships can be recognised by the colour of the canvas.

De voorste mast is vierkant getuigd, de twee overige masten langsgetuigd.

The foremast is squarerigged, and the two other masts are rigged fore and aft.

Nederland vanaf het water, en wie nostalgisch wil doen, huurt een schip van de bruine vloot. Tot deze vloot worden traditionele schepen gerekend waarmee vroeger vracht werd vervoerd, zoals tjalken, klippers en schoeners. Vroeger moesten de zeilen getaand worden om rotting te voorkomen. Dat heeft de zeilen hun bruine kleur gegeven en de vloot haar naam.
Een van de opmerkelijkste recente tradities is wel de Nieuwjaarsduik. Het strand van Scheveningen biedt elk jaar op nieuwjaarsdag een bij-

can explore the country by water on a river cruise, or if you want to do something nostalgic you can rent a boat from the 'Brown Fleet', traditional boats like tjalks, clippers and schooners, which were used in the past to transport freight. In days gone by, the sails had to be tanned to prevent them rotting. This gave the sails their brown colour and the fleet its name.
One of the most striking recent traditions is the New Year's Day Swim. Scheveningen beach

Laura Dekker aan het roer.

Laura Dekker at the helm.

Deelnemers aan de
Nieuwjaarsduik.

People taking part in the
New Year's Day Swim.

GIRL SAILOR

When she was only ten, Laura Dekker was already dreaming of sailing solo around the world. She was just thirteen when she sailed solo to England and back. When she told the world about her plans, which had the backing of her parents, the Dutch Child Welfare Council sprang into action. They wanted Laura removed from her parents' care for her own protection, but in the end a court ruled that the responsibility for the decision lay with the parents. Laura planned to make the journey in two years. After 27,000 nautical miles she arrived back at Sint-Maarten in the West Indies in January 2012. She was the youngest sailor ever to achieve this on her own, but the feat was not recognised by *The Guinness Book of Records*. In 2009, its editors had decided to stop including 'youngest' categories to discourage dangerous record attempts by minors.

zonder schouwspel wanneer wel tienduizend mensen tegelijk een duik in het koude water nemen en daarna snel terughollen om iets warms aan te trekken. Het begon in 1965 min of meer als grap en inmiddels is Scheveningen allang niet meer de enige plaats waar mensen het nieuwe jaar zo beginnen. Zomers liggen de stranden bomvol zonaanbidders en dient de duik in zee voor de noodzakelijke verkoeling. Recreëren in Nederland heeft een stille revolutie ondergaan: bloot is steeds gewoner geworden. Het eerste openbare naaktstrand dateert uit 1973 en vanaf dat jaar wint naaktrecreatie gestaag terrein.

hosts a remarkable spectacle every New Year's Day, when ten thousand people or more take a dip together in the icy water... and then run back quickly to put on something warm. It all started more or less as a joke in 1965 and Scheveningen is no longer the only place where people start the New Year this way. In summer, the beaches are crowded with sunbathers and they only take a dip in the sea when they need to cool down.
Recreation in the Netherlands has undergone a silent revolution: nudity has become increasingly common. The first public nude beach dates from 1973 and nude recreation has become increasingly popular ever since.

Op warme dagen zoeken zo veel mensen de zee op dat de stranden overvol zijn.

On hot days, so many people go to the seaside that the beaches become overcrowded.

SAIL AMSTERDAM

In 1275 verleende Floris V, graaf van Holland, aan Amsterdam het recht om handel te drijven zonder aan hem tol te hoeven betalen. In dit document komt de naam Amsterdam voor het eerst voor. In 1975 werd het zevenhonderdjarig bestaan van de stad Amsterdam gevierd door tal van historische zeilboten in de haven te ontvangen. 'Sail Amsterdam' was zo succesvol dat het evenement sindsdien om de vijf jaar herhaald wordt, de laatste keer (2010) met in totaal 1,5 miljoen bezoekers. Grote publiekstrekkers zijn de zogeheten *tallships*, grote zeilschepen die in enkele landen nog als opleidingsschip worden gebruikt. Ook zijn er replica's van zeilschepen bij, zoals de Batavia (1628, herbouwd tussen 1985 en 1995) of de Amsterdam (1749, herbouwd tussen 1985 en 1990). Beide VOC-schepen zijn overigens het hele jaar door te bezichtigen, respectievelijk bij de Bataviawerf in Lelystad en bij het Scheepvaartmuseum in Amsterdam.

↑
Op veel plaatsen langs de Nederlandse kust zijn naturistenstranden.

Naturist beaches can be found on many locations along the Dutch coastline.

↑
Saunabezoek is in een korte periode een geliefde tijdsbesteding geworden.

A trip to the sauna has quickly become a favourite pastime.

Gemeenten mogen locaties aanwijzen die voor naaktrecreatie geschikt zijn, maar ook daarbuiten wordt deze vorm van recreatie vaak gedoogd. Het gaat bijna altijd om plaatsen waar je kunt zonnen en zwemmen, aan zee, maar ook bijvoorbeeld op afgelegen strandjes aan de grote rivieren. Saunabezoek is in dezelfde periode bijzonder populair geworden onder jong en oud. Een steeds grotere groep mensen ontdekt de ontspannende werking van stoom- en bubbelbaden. De wellness-sector bloeit als nooit tevoren.

Municipalities can designate locations for nude recreation, although this type of recreation is often also tolerated elsewhere. These are almost always spots for sunbathing or swimming, mostly by the sea but also some remoter beaches on the major rivers. During the same period, visiting the sauna became very popular among both young and old. An increasing number of people have discovered the relaxing effect of steam baths and bubble baths. The wellness sector is flourishing like never before.

SAIL AMSTERDAM

In 1275, Floris V, the Count of Holland, granted Amsterdam the right to trade without paying him tolls. This is the first document in which the name 'Amsterdam' appears. In 1975, the seven hundredth anniversary of the city of Amsterdam was celebrated by having a large number of historic sailing ships enter the harbour. 'Sail Amsterdam' was so successful that the event has been repeated every five years since then, with the most recent edition (in 2010) attracting a total of 1.5 million visitors. What really bring the onlookers in such numbers are the so-called tall ships, big sailing vessels that some countries still use for training their sailors. There are also replicas of old sailing ships, such as the Batavia (1628, rebuilt between 1985 and 1995) or the Amsterdam (1749, rebuilt between 1985 and 1990). Incidentally, it is possible to view both these East Indiamen all year round, at the Bataviawerf in Lelystad and the National Maritime Museum in Amsterdam, respectively.

Een tallship vaart door de Jan Schaeferbrug tijdens Sail Amsterdam.

The Jan Schaefer-bridge opens to let a tallship pass at Sail Amsterdam.

Wetland

Brackish, saline, fresh, a little or a lot, rich or poor in nutrients: flora and fauna have their preferences for water

Een vlucht kluten boven de Waddenzee. Deze waadvogel overwintert in Zuid-Europa.

A flock of avocets over the Waddenzee. This wading bird migrates for the winter to southern Europe.

Natte natuur

Brak, zout, zoet, weinig, veel, voedselrijk of -arm: flora en fauna stellen eisen aan water

Als land dat deels onder de zeespiegel ligt, heeft Nederland veel natte natuur. 'Zonder water geen leven' heeft hier een geheel eigen invulling. De Waddenzee vormt een onmisbare halte voor miljoenen trekvogels en is de kraamkamer voor talrijke vissoorten. Waterwegen en natte assen zorgen voor biodiversiteit en verspreiding van plant en dier. Landbouw en visserij behoren tot de grootste bedreigingen, en daar zijn bezuinigingen op jarenlang consistent uitgevoerd natuurbeleid bij gekomen.

Because the Netherlands is partly below sea level, it has a lot of wet countryside. It is abundantly clear here that water is a crucial ingredient for life. The Wadden Sea is an indispensable stop en route for millions of migratory birds and a breeding ground for numerous fish species. Waterways and networks of wet natural zones ensure biodiversity and the spread of plants and animals. Agriculture and fishing are the biggest threats, and recent cutbacks in the consistent nature policy that has been in force for many years are now the latest problem.

Via water en oevers kunnen soorten zich beter verplaatsen en worden leefgebieden en populaties groter. De kilometerslange Nederlandse watergangen zijn voor flora en fauna belangrijke verbindingszones. Dwars door Nederland, van het Lauwersmeer tot in de Zeeuwse delta, loopt de Natte As. De as moet bestaande belangrijke natuurgebieden, zoals het Lauwersmeer, de Weerribben, het Groene Hart en de Biesbosch, met elkaar verbinden. Het gaat om een keten van waterlopen, brede oevers met riet, natte graslanden, laagveenmoerassen en moerasbossen. In westelijk Nederland, tussen de Biesbosch en het Gooimeer, wordt deze soms honderden meters brede verbindingszone van natuurgebieden de Groene Ruggengraat genoemd. Het doel is niet alleen om soorten voor uitsterven te behoeden en de biodiversiteit te vergroten, maar ook om versnippering van het landschap te voorkomen, verdroging van de natuur tegen te gaan, buffers te creëren waar overtollig water geborgen kan worden en waterbeheer te verbeteren.

Overbevissing is een van de grootste gevaren voor het natuurlijk leven in de zee. Sommige gewilde vissoorten zijn zelfs bijna weggevangen. Los van jaarlijks vastgestelde vangstquota wordt de roep om zee-reservaten, grote gebieden waar de bodem en het zeeleven met rust moeten worden gelaten, daarom steeds krachtiger. Wordt het ecologisch evenwicht definitief verstoord, dan zijn de gevolgen desastreus. Vogels bijvoorbeeld sterven van honger of zijn door ondervoeding niet in staat ver te vliegen. De Waddenzee, Europa's grootste wetlandgebied, is voor trekvogels een onmisbaar tussenstation om te forageren. Jaarlijks doen miljoenen vogels het gebied aan, op doorreis van hun broedgebieden in het hoge noorden naar Zuid-Europa of Afrika.
In de Hollandse en Friese natte weidegebieden nestelen weer andere trekvogels. De weidevogels doen het echter slecht. De populaties grutto, veldleeuwerik, tureluur, watersnip en bijvoorbeeld scholekster gaan steeds verder achteruit, ondanks allerlei genomen beschermingsmaatregelen. Dat komt onder andere door intensivering van de landbouw, drainage

Overfishing is one of the greatest hazards to natural marine life. Some popular species have been almost fished out. This has led to catch quotas being fixed annually, as well as ever stronger calls for marine reservations, large areas where the seabed and marine life must be left alone. If the ecological balance is permanently disrupted, the consequences could be disastrous. Birds will die of starvation or may no longer be able to migrate long distances because of malnourishment. The Wadden Sea, Europe's largest wetland area, is an indispensable stopping place for foraging migratory birds. Every year millions of birds visit the area, passing through from their breeding grounds in the high Arctic to southern Europe or Africa.
Other migratory birds nest in the Dutch and Frisian wetland areas. The meadowland birds are not doing well at all. Godwit, skylark, redshank, snipe and oystercatcher populations, for instance, are falling steadily despite all the protective measures that have been taken. Causes include more intensive farming, wetland field draining and nests being disturbed

↑
Zowel de watersnip (links) als de tureluur (rechts) zijn bedreigde weidevogels.

Both the snipe (left) and redshank (right) are endangered meadowland birds.

THE WET AXIS

Species can move more easily via water and river banks, ensuring that habitats and populations expand. The many kilometres of watercourses in the Netherlands are important connecting zones for flora and fauna. The so-called Wet Axis runs through the Netherlands from the Lauwersmeer lake down to the Zeeland delta. It has to link up several key nature areas such as the Lauwersmeer, the Weerribben, the Groene Hart and the Biesbosch areas. It is a chain of watercourses, wide reed-covered banks, wet grasslands, lowland bogs and swamp woodland. In the west of the Netherlands, between the Biesbosch nature reserve and the Gooimeer lake, this linking zone for the nature areas – hundreds of metres wide at some points – is called the Groene Ruggengraat (Green Backbone). The aim is not only to prevent species from becoming extinct and to extend biodiversity, but also to prevent disintegration of the landscape, stop nature areas from drying out, create buffers to store excess water and to improve water management.

Het Nationale Park Lauwersmeer is het noordelijkste deel van de Natte As.

The Lauwersmeer National Park is the northernmost part of the Wetland Axis.

Ploegen om het nest van een scholekster. Nesten van grondbroeders zijn extra kwetsbaar.

Ploughing around an oystercatcher's nest. The nests of ground-breeding birds are particularly vulnerable.

van natte weilanden en verstoring van de nesten door maaimachines. Het komt ook voor dat het vee nesten plattrapt, of dat vossen of roofvogels een nest plunderen. De ooievaar was zelfs zo goed als uitgestorven, maar heeft zich hersteld door succesvolle fokprogramma's: na jarenlang uit het beeld verdwenen te zijn geweest, is deze vogel op veel plaatsen weer een vertrouwd gezicht. Daarentegen zijn zwanen en vooral ganzen zo talrijk geworden dat ze voor de boeren een ware plaag vormen.

Net als de meeste weidevogels hebben ook trekvissen het moeilijk. Dit zijn vissen die tussen zee en binnenwater trekken, zoals glasaal en stekelbaars. Zij hebben een geleidelijke overgang tussen zoet en zout water nodig om te wennen aan de veranderende omstandigheden. Ze worden in hun trek gehinderd door gemalen, waterkeringen, stuwen en sluizen. Door verbetering van de waterkwaliteit van de grote rivieren en de aanleg van vistrappen wordt gehoopt op de terugkeer van trekvissen als zeeforel, fint en zalm. De fint leeft in zee en paait in de monding van rivieren. De zalm en zeeforel zoeken hun paaigebieden helemaal in Duitsland. Het is echter allerminst zeker dat

by mowing machines. Nests are sometimes crushed by cattle or robbed by foxes or birds of prey. Storks were virtually extinct at one point, but they have recovered as a result of successful breeding programmes. After disappearing for many years, these birds are now a familiar sight again in many places. Conversely, numbers of swans and geese in particular have increased so much that they have become real pests for farmers.

Like most meadow birds, migratory fish are also going through difficult times. These are fish that migrate between the sea and inland waters, such as the glass eel and stickleback. They need a gradual transition from salt to fresh water to let them adapt to the changing conditions, but their migration is obstructed by pumping stations, dams, weirs and locks. The quality of the water in the major rivers is being improved and fish ladders are being constructed, in the hope that migratory fish such as sea trout, shad and salmon will return. Shad live in the sea and spawn in river estuaries. Salmon and sea trout even go as far upriver as Germany to their spawning areas. But it is not at all

↑

De ooievaar zoekt voedsel in vochtige graslanden, weilanden en bij sloten.

Storks search for food in wet grasslands, meadows, and near ditches.

↑
*Voor trekvissen worden
speciaal vistrappen
aangelegd.*

⇢
*Zeeforellen bereiken
dankzij vistrappen hun
paaigebieden.*

*Special fish traps are
constructed for migratory
fish.*

*Thanks to these fish traps,
sea trout can reach their
spawning grounds.*

de aanwezigheid van deze vissen in de grote rivieren weer regel wordt in plaats van hoge uitzondering.

Nederland heeft een grote internationale verantwoordelijkheid voor de natte natuur, bijvoorbeeld waar het gaat om het in stand houden van laagveenmoerassen en het beheer van rietlanden. Door een ander beheer van rietlandmoerassen komen zeldzame vogels terug die in overjarig riet broeden, riet dat om het jaar gemaaid wordt in plaats van elke winter. Al even karakteristiek als het riet zijn de knotwilgen langs meren en sloten.

certain that these fish will ever be a common presence again in the major rivers, rather than rare exceptions.

The Netherlands holds major international responsibilities for its natural wetlands, for instance for the conservation of lowland bogs and management of reed marshes. Changing how reed marshes are managed will ensure the return of rare birds that breed in older reed beds, mown every two years rather than every winter. The reed beds are as typically Dutch as pollard willows alongside lakes and ditches.

De wilg is een boom die geschikt is om te knotten (het snoeien van lange en buigzame uitlopers). Die uitlopers, ook wel tenen genoemd, zijn geschikt voor gebruik, bijvoorbeeld om er manden of fuiken mee te vlechten. Om de paar jaar kunnen wilgentenen geoogst worden en de boom krijgt in de loop der jaren een steeds dikkere stam en knot. De wilg is een gebruiksboom, die gezichtsbepalend is voor het polderlandschap. Ze staan overal langs sloten en plassen. Het snoeien gebeurt op circa twee meter hoogte, zodat het vee niet van de jonge uitlopers eet. Wilgen groeien snel en houden van een vochtige ondergrond. Oudere knotwilgen hebben holtes waar broedvogels, zoals de steenuil, gebruik van maken. Ooit waren er velden of grienden met wilgenbomen, een soort akkerbouw voor het oogsten van wilgentenen, met name in de Biesbosch; tegenwoordig worden wilgen vooral door vrijwilligers geknot.

Bever en otter waren in Nederland uitgestorven en zijn opnieuw uitgezet. In 1988 werden 42 uit de Elbe afkomstige bevers in de Biesbosch losgelaten, en in 2002 de eerste otters in de Weerribben. Ze verspreiden zich langzaam maar zeker vanuit deze natuurgebieden. De otter staat aan de top van de voedselketen en dat betekent dat chemische stoffen zich in zijn lichaam ophopen. Kan de otter zich handhaven, dan is dat een indicatie voor de kwaliteit van de natte natuur. Het dier heeft een groot

Beavers and otters became extinct in the Netherlands and have been re-introduced. Forty-two beavers from the River Elbe were introduced in the Biesbosch nature reserve in 1988 and the first otters in the Weerribben nature reserve in 2002. They are spreading slowly but steadily beyond these nature areas. Otters are at the top of the food chain, which means that chemicals can accumulate in their bodies. If otters can survive, this is a good indicator for the quality of the wetlands.

↑
Vanuit het Nationaal Park De Biesbosch verspreidt de bever zich gestaag.

Beavers are spreading steadily from the Biesbosch National Park.

POLLARD WILLOWS

Willow trees can be pollarded (pruning the long, flexible offshoot branches). Those willow twigs can be used for instance for making baskets or fish traps. Willow twigs can be taken every two years and the tree itself will acquire an increasingly thick trunk and knot over the course of time. Willow trees are functional as well as being a typical feature of the polder landscape. You can see them next to ditches and ponds everywhere. The trees are pruned at a height of about two metres to make sure that the cattle will not eat the young offshoot branches. Willows grow fast and like moist soil. Older pollard willows have holes that are used by breeding birds such as the little owl. In the past, there were fields or plantations of willow trees – farms with willow twigs as the crop, as it were – in the Biesbosch district in particular. Nowadays willows are mostly pollarded by volunteers.

Knotwilgen langs een sloot in Kockengen, provincie Utrecht.

Pollard willows by a ditch in Kockengen, in the province of Utrecht.

De Weerribben, ontstaan door turfwinning, is een groot aaneengesloten laagveengebied.

The Weerribben, which was created by peat cutting, is a large contiguous bogland area.

territorium nodig en trekt graag. Daarvoor is het nodig dat natte gebieden onderling verbonden zijn. Nederland werkt al lang aan de realisering van de zogeheten Natte As, die van noord naar zuid door Nederland loopt. Ook worden op steeds meer plaatsen natuurvriendelijke oevers aangelegd, zodat ook kanalen en andere waterlopen ecologische verbindingszones vormen en biodiversiteit bevorderen. Over de toekomst van dit beleid is echter grote onzekerheid ontstaan, omdat de

The animals need a large territory and like to move about. The wetland areas therefore have to be interconnected. The Netherlands has worked for a long time on the realisation of a 'Wetland Axis' running from north to south through the country. Nature-friendly banks are being built at an increasing number of sites to make sure that canals and other watercourses become ecological linking zones and promote biodiversity. However, the future of this policy has become very uncertain now that the

←·····

Natuurvriendelijke oevers, zoals hier van de IJssel, zijn behalve mooi ook geschikte verbindingswegen voor plant en dier.

As well as their being beautiful, nature-friendly banks such as here on the IJssel, are also good linking zones for plants and animals.

↑

*Rechtstreekse injectie
van drijfmest in de grond
beperkt uitstoot van
ammoniak.*

*Direct injection of liquid
manure into the soil
limits ammonia
emissions.*

⤑

*Fosfaat door overbemes-
ting leidt tot overmatige
algengroei en slechte
waterkwaliteit.*

*Phosphate from over
fertilisation causes a
'bloom' of algae and leads
to poor water quality.*

regering bezuinigt op de uitgaven die hiervoor
nodig zijn.
Tot de grootste bedreigingen van de natte natuur hoort eutrofiëring. In Nederland worden
grote hoeveelheden mest op het land gebracht. Door het uitspoelen van meststoffen
komen te veel voedingsstoffen in grond- en
oppervlaktewater terecht. Dat heeft nade-
lige gevolgen: sommige waterplanten gaan
overheersen, er treedt veel algengroei op en
onderwaterplanten groeien niet meer door het
daardoor ontstane gebrek aan zonlicht.

government is cutting back on the required
expenditure.
One of the greatest threats to wet nature is
eutrophication. Large amounts of manure are
used on farmland in the Netherlands, and as
a result too many nutrients leach out and end
up in the groundwater and surface water. This
has negative effects: some water plants will
start to predominate, there may be excessive
growth of algae, and then underwater plants
will no longer be able to grow due to the lack
of sunlight.

Management and policy

Policies and standards for water are becoming increasingly international

Overstroomde uiterwaard van de Waal, Boven-Leeuwen, Gelderland.

Flooded river foreland of the Waal at Boven-Leeuwen, Gelderland.

Beheer en beleid

Waterbeleid en gehanteerde normen zijn in toenemende mate internationaal

In een dichtbevolkt gebied als Nederland laveert waterbeheer tussen belangen op basis van normen. Waterbeheer is geëvolueerd van lokaal uitgevoerde maatregelen tot internationale samenwerking; per stroomgebied moet aan Europese kwaliteitseisen worden voldaan. Globalisering is van invloed op de verdeling van het water en de watervoetafdruk laat ons zien waarom.

In a densely populated country like the Netherlands, water management uses standards to help balance the various interests. Water management has evolved from local measures to international cooperation; every water catchment area must meet European quality requirements. Globalisation has an effect on the distribution of water and the water footprint shows us why.

WATERVOETAFDRUK

De watervoetafdruk is een indicatie van de hoeveelheid zoet water dat per jaar verbruikt wordt. Dit kan berekend worden per consument, product, bedrijf of land. Nederland heeft een hoge watervoetafdruk. Dat komt niet door het gebruik van leidingwater (slechts 2 procent), maar door de consumptie van landbouwproducten (67 procent) en industriële producten (31 procent). Om één kopje koffie te produceren is gemiddeld 140 liter water nodig en dat is bovendien geen Nederlands water. Omdat Nederland veel importeert, met name veevoer, is de watervoetafdruk van Nederlanders een stuk hoger dan in veel andere landen. Wereldwijd is zoet water schaars en volgens de Verenigde Naties krijgt twee derde van de wereldbevolking daarmee te maken. Het wordt steeds noodzakelijker verbruik van zoet water in mondiaal perspectief te bezien en bijvoorbeeld met behulp van de watervoetafdruk te bepalen waar gewassen het efficiëntst kunnen worden verbouwd.

↑
Windmolen in de mist bij de Schermerpolder in de provincie Noord-Holland.

A windmill in the mist at the Schermerpolder in the province of Noord-Holland.

De laagste polder van Europa, 6,76 meter onder de zeespiegel, bevindt zich in Nieuwerkerk aan den IJssel, tussen Rotterdam en Gouda. Op deze plaats bouwen gemeente en projectontwikkelaars zevenduizend woningen. Overal staat het oude polderlandschap onder druk door aanleg van nieuwe wegen, bedrijfsterreinen en nieuwbouwwijken. Is het wel verstandig om zelfs voor de diepste polder toe te geven aan bouwplannen en er blind op te vertrouwen dat stormvloedkeringen, zoals die bij Krimpen

The lowest polder in Europe, 6.76 metres below sea level, is in Nieuwerkerk aan den IJssel, between Rotterdam and Gouda. The municipality and project developers are building seven thousand houses there. Old polder landscape is under pressure everywhere from new road construction, industrial sites and new housing. Is it wise to give planning permission in even the lowest-lying polders and to trust blindly in storm surge barriers like the one near Krimpen aan den IJssel doing their job? 26 per cent

WATER FOOTPRINT

The water footprint is an indication of annual fresh water consumption. It can be calculated for a consumer, product, company or country. The Netherlands has a big footprint. This is not caused so much by direct use of mains water (only 2 per cent) as by the consumption of agricultural products (67 per cent) and industrial products (31 per cent). Producing a single cup of coffee requires an average of 140 litres of water. And that isn't Dutch water either. The water footprint of the Dutch is considerably higher than in many other countries because the Netherlands imports such a lot, particularly livestock feed. Fresh water is a scarce commodity worldwide; according to the United Nations, two thirds of the world's population may be affected. It is becoming more and more important to consider the consumption of fresh water from a global perspective, for example by using water footprints to determine the most efficient places to cultivate crops.

Voor elk kopje koffie is in totaal 140 liter water nodig.

Every cup of coffee requires 140 litres of water.

De Stormvloedkering Hollandse IJssel, onderdeel van de Deltawerken.

The Hollandse IJssel storm surge barrier, part of the Delta Works.

aan den IJssel, hun werk zullen doen? Van heel Nederland ligt 26 procent onder het zeeniveau en is nog eens 29 procent gevoelig voor overstromingen van rivieren. In het deel onder de zeespiegel wonen ook de meeste mensen. Bij wet is vastgelegd welke veiligheidsnorm geldt voor welk gebied. Het vertrouwen in die normen is groot: niemand voelt zich onveilig. Toch komen overheid en bevolking af en toe voor onaangename verrassingen te staan. In 1993 en 1995 stond het water in de rivieren

of the Netherlands is below sea level and another 29 per cent is potentially at risk from river flooding. The areas below sea level are also where the majority of the people live. The safety standards that apply to various areas have been determined by law. These norms are trusted implicitly: nobody feels unsafe. Nevertheless, the government and the population sometimes have to face unpleasant surprises.In 1993 and 1995, water levels in the rivers were extremely high. In 1995, the largest

uitzonderlijk hoog. In 1995 vond uit voorzorg de grootste evacuatie uit de recente geschiedenis plaats: 25.000 mensen en heel veel vee moesten het kwetsbare gebied verlaten, want bij een dijkdoorbraak van de Waal zou het land onderstromen en het water een paar meter hoog komen te staan. Honderden militairen versterkten inderhaast zwakke dijken. Net op tijd zakte het water en bleef de gevreesde overstroming uit. Een direct gevolg van deze bijna-ramp was aanpassing van het beleid. Langs

evacuation in recent history took place as a precaution: 25,000 people and lots of livestock had to leave the threatened area, because the land would have been flooded to a depth of several metres if the River Waal's dykes had broken. Hundreds of soldiers hurriedly reinforced the weak dykes. Water levels dropped just in time and the dreaded flood never happened. Policy changes were one direct consequence of this near-disaster. A committee designated emergency overflow

↑
De oude Maasmeander van Keent bij hoogwater. Hier krijgt de Maas weer meer ruimte.

The former Maas meander at Keent at high tide. The River Maas gets more room here.

←
Het Nederlands Watermuseum in stadspark Sonsbeek te Arnhem.

The Netherlands Water Museum in the Sonsbeek town park at Arnhem.

de grote rivieren werden door een commissie noodoverloopgebieden aangewezen. Deze moeten gecontroleerd onder water kunnen worden gezet om water tijdelijk te bufferen. Verder werd aan de rivieren meer ruimte gegeven door uiterwaarden te verdiepen en te stroomlijnen. Hier en daar werd ontpolderd. Aanpassingen van het beleid worden echter nooit zonder slag of stoot gerealiseerd: bewoners van een aangewezen overlooppolder protesteren, moeten worden gecompenseerd of krijgen opeens met veel onzekerheid te maken.

Het beheer van lange dijken, de afwatering van overtollig water op zee, het regelen van het waterpeil, al dit soort zaken vereist een daarop afgestemde organisatie. Zo ontstonden de waterschappen, de eerste al in de dertiende eeuw. In de negentiende eeuw bleek dat de lokaal en regionaal opererende waterschappen rampen niet goed konden voorkomen en dat waterbeheer anders moest worden georganiseerd. Het rijk en de provincies richtten waterstaatdiensten op voor toezicht en coördinatie. Rijkswaterstaat kreeg de verantwoordelijkheid voor aanleg, beheer en onderhoud van het

areas alongside the major rivers. Controlled flooding of these areas had to be possible so that water could be buffered temporarily. Moreover, rivers were given more space by deepening and streamlining the river forelands. Polders were re-flooded in some cases. But policies can never be changed that easily: the residents of a designated overflow polder raise objections and have to be compensated, and they may suddenly face a great deal of uncertainty.

Managing lengthy dykes, discharging excess water into the sea and controlling water levels all require an organisation that is capable of handling the problems. That is how the water boards came about, as long ago as the thirteenth century. By the nineteenth century, it was clear that local and regional water boards were not really able to prevent disasters and that water management needed to be organised differently. The national and provincial authorities set up water management departments for supervision and coordination. The Directorate General for Public Works and Water Management was given the responsibility for

↑

Vluchten na dijkdoorbraak te Workum. Ingekleurde pentekening uit 1825, Hendrik Jans de Harder (1782-1847).

Fleeing the dyke breach in Workum. A coloured pen drawing from 1825 by Hendrik Jans de Harder (1782-1847).

POLDERMODEL

Om de voeten droog te houden, moet goed samengewerkt worden. Bouw en onderhoud van dijken, afwatering van overtollig water, het vergt allemaal veel overleg en inspanning. Hierdoor bestaat in Nederland een traditie om gezamenlijk oplossingen te zoeken en beleid uit te voeren. De waterschappen, ontstaan in de middeleeuwen, behoren tot de oudste representatieve bestuurslichamen ter wereld. In Nederland zitten werkgevers, werknemers en overheid gezamenlijk aan tafel om het met elkaar eens te worden over sociaal-politieke maatregelen. Op consensus gericht overleg wordt 'het Nederlandse poldermodel' genoemd, verwijzend naar de eeuwenoude overlegcultuur van de waterschappen. 'Polderen' is zelfs een werkwoord geworden en betekent samenwerken en compromissen sluiten. De ervaring leert dat overleg in plaats van strijd uiteindelijk voor iedereen de meeste voordelen oplevert. Wat een eerlijke verdeling van het mondiaal schaarse drinkwater betreft, moet de volgende stap snel gezet worden: internationaal polderen.

THE POLDER MODEL

We need to cooperate if we want to keep our feet dry. Constructing and maintaining dykes and discharging the excess water from behind them all requires a lot of discussion and effort. As a result, the Netherlands has a tradition of finding solutions and implementing policies jointly. The water boards, which arose back in the Middle Ages, are one of the oldest representative administrative bodies in the world. In the Netherlands, employers and employees hold meetings with the authorities to reach agreement on social and political measures. Holding discussions aimed at reaching a consensus is sometimes known as 'the Dutch polder model', referring to the centuries-old consultative structure of the water boards. 'Poldering' has even become a verb in Dutch, meaning cooperating and compromising. Experience has shown that discussions rather than confrontations offer the most benefits to all involved. If we want to see equitable distribution of the world's scarce drinking water resources, then what we need is a bit of international 'poldering'.

Vergaderen over dijken in 1937. Friese waterschappen beheerden dijken gezamenlijk.

Meeting about dykes in 1937. Dykes were managed jointly by the Frisian water boards.

Bij de Millingerwaard langs de Waal krijgt de rivier meer ruimte.

The River Waal gets more room at Millingerwaard.

Waterput in Mali. In veel landen is drinkwater uiterst schaars.

A well in Mali. Drinking water is extremely scarce in many countries.

hoofdwatersysteem. Door een reeks van fusies tussen waterschappen raakte de zorg voor de waterstaat minder versnipperd. De taken zijn keurig verdeeld: het waterschap zorgt ervoor dat het oppervlaktewater schoon blijft en zuivert het afvalwater, het drinkwater wordt door drinkwaterbedrijven geleverd, provincies zijn verantwoordelijk voor het grondwater en gemeenten voor de riolering.

Het waterbeheer is grensoverschrijdend geworden. De Europese Kaderrichtlijn Water verplicht

constructing, managing and maintaining the main water system. Water management care became less fragmented after a number of mergers between water boards. The tasks have been divided neatly: the water board is responsible for keeping the surface waters clean and for purifying wastewater; drinking water is supplied by utility companies; the provinces are responsible for the groundwater and the municipalities for the sewers.

Water management has become a cross-

GEMALEN

Gemalen houden binnen een bepaald gebied het water op peil. Ze zijn in de loop der tijd telkens gemoderniseerd en je treft ze aan in soorten en maten. Om water van een lager naar een veel hoger niveau te brengen, moesten vroeger vaak drie of vier molens achter elkaar worden geplaatst. Dit heet een molengang. De enige nog werkende molenviergang bevindt zich in Zuid-Holland bij Aarlanderveen. De poldermolens werden in het midden van de negentiende eeuw vervangen door stoomgemalen. Op hun beurt werden stoomgemalen later weer vervangen door diesel- en elektrische gemalen. Toen stoomgemaal De Cruquius in 1849 in gebruik werd genomen om het Haarlemmermeer droog te pompen was het een wereldwonder van ingenieurskunst. Het ir. D.F. Woudagemaal in Friesland behoort tot het Werelderfgoed en is het grootste nog werkende stoomgemaal ter wereld. Beide beroemde stoomgemalen zijn als museum te bezoeken.

Het Ir. D.F. Woudagemaal uit 1920 wordt nog gebruikt als hulpgemaal.

The D.F. Wouda pumping station dates from 1920. It is still used as a backup.

PUMPING STATIONS

Pumping stations keep the water in a given area at the right level. Over the course of time, they have been modernised and so they now come in all sorts of shapes and sizes. In the past, getting water from a lower level to a higher one often needed three or four mills in a stepped series known as a 'mill pace'. The only mill pace that is still operating is near Aarlanderveen in the province of Zuid-Holland. The polder windmills were replaced in the middle of the nineteenth century by steam-powered pumps. Later on, they were superseded in turn by diesel and electric pumping stations. When the Cruquius steam pump began pumping dry the Haarlemmermeer lake in 1849, it was one of the wonders of the engineering world. The D.F. Wouda pumping station in Friesland is a World Heritage Site and is the largest steam pump still in use in the world. Both these famous steam pumps are now museums that you can visit.

In het Cruquiusgemaal staat de grootste stoommachine ooit gebouwd.

The largest steam engine ever built is at the Cruquius pumping station.

↑

De IJssel bij Deventer.
Het water in de IJssel staat
regelmatig hoog.

The IJssel near Deventer.
The IJssel regularly has
high water levels.

de lidstaten het beheer per stroomgebied vorm te geven, met als doel de kwaliteit van oppervlaktewater en grondwater te waarborgen, en dat in voldoende hoeveelheden voor alle vormen van gebruik. Nederland behoort tot vier internationale stroomgebieden, van Rijn, Maas, Schelde en Eems, en moet samenwerken met alle landen waarin deze rivieren met hun zijtakken stromen. Ook moet de kwaliteit van water in Nederland aan allerlei Europese normen gaan voldoen.

De groeiende wereldpopulatie, samen met het watergebruik van welvarende consumenten in ons deel van de wereld, maakt dat zoet water een belangrijk internationaal vraagstuk geworden is. Om de schaarse voorraden wordt strijd gevoerd, want in heel veel gebieden is geen

border activity. The European Water Framework Directive requires member states to set up a management body for each water catchment area so that the quality of the surface water and groundwater can be ensured in sufficient quantities for all types of use. The Netherlands is part of four international catchment areas (the Rhine, Maas, Schelde and Eems) and has to cooperate with all the countries that these rivers and their tributaries flow through. The quality of the water in the Netherlands must also meet a plethora of European standards. The growing world population together with the water consumption of well-to-do consumers in our part of the world is making fresh water a significant international problem. People are fighting for scarce stocks because many

schoon drinkwater voorhanden. Vraag en aanbod van water worden in principe lokaal op elkaar afgestemd, maar door globalisering raakt de waterbalans wereldwijd ernstig verstoord. Voor de productie van alle goederen is water nodig, meer dan de meeste mensen zich realiseren. De Nederlandse consument verbruikt veel water, niet omdat hij onevenredig veel drinkt of doucht, maar vanwege de import van goederen. Elk individu, bedrijf of land heeft zijn eigen watervoetafdruk. Om een voorbeeld te geven: als je alle productiestappen meetelt, kom je voor één kilo geïmporteerd rundvlees uit op het totaal verbruik van 15.500 liter water. Van op handel en consumptie gerichte minimalisering van het waterverbruik is echter nog lang geen sprake.

areas do not have clean drinking water. Water supply and demand can be matched locally, in principle, but globalisation has seriously disrupted the water balance worldwide. Water is needed for the production of all goods, more than most people realise. Dutch consumers use a lot of water, not because they drink more or shower disproportionately often, but because of the import of goods. Every individual, every company and every country has its own water footprint. Just to give an example: if you include all the production steps, you find that the total amount of water used for one kilo of imported beef is 15,500 litres. But it will take a long time before people focus on minimising water use in trade and consumption.

The pride of Holland

Dutch dredgers, tugboats and salvage companies: operating all over the world and very much in demand

De snijkopzuiger Taurus II van Boskalis snijdt in harde bodem en zuigt losse grond weg.

The Taurus II suction cutter dredger belongs to Boskalis. It can cut into hard ground and suck up loose earth.

Hollands glorie

Over de hele wereld even gewild als actief: Nederlandse baggeraars, slepers en bergers

Familiebedrijven groeiden uit tot wereld-
marktleiders in hun branche. Geholpen door
de uitvoering van grote waterbouwkundige
werken als Afsluitdijk en Deltaplan, de
naoorlogse wederopbouw en de offshore-
industrie op de Noordzee, zetten zij ervaring
en kennis in voor buitenlandse expansie.
Een volkje van pionierende ondernemers,
vaklui en doeners.

Family companies have grown into global
market leaders in their sector. Helped by the
construction of large civil engineering projects
such as the Afsluitdijk and the Delta Works,
post-war reconstruction and the North Sea
offshore industry, they have used their knowledge and experience to drive their expansion
abroad. A nation of pioneering entrepreneurs,
skilled workmen and go-getters.

Slib bezinkt waar de stroomsnelheid laag is, en in een rivierendelta is dat al snel het geval. De Nederlandse vaargeulen en havens moeten altijd voldoende diep zijn en dus worden ze uitgebaggerd. Jaarlijks gaat het ongeveer om 50 miljoen kubieke meter baggerspecie. Baggeren is hier een noodzaak, telkens opnieuw. Het is daarom niet verwonderlijk dat juist Nederlandse baggerbedrijven toonaangevend zijn geworden in de wereld. Met al hun opgedane ervaring halen ze zand en slib van de bodem, winnen ze nieuw land en houden ze vaarroutes begaanbaar. Nederlandse baggeraars hebben gewerkt aan 's werelds grootste bagger- en landaanwinningsprojecten, waaronder de aanleg van het vliegveld voor de kust van Hongkong en het kunstmatige eiland Palm Jumeirah voor die van Dubai.

Silt settles wherever water flows slowly, which is often the case in river deltas. Shipping channels and harbours always have to be kept deep enough and need regular dredging. In the Netherlands, about 50 million cubic metres of spoil are dredged annually. And it needs to be done time and time again. It is therefore no surprise that Dutch dredging companies have become some of the world's leaders. They use all their experience to remove sand and silt from the seabed, reclaim land and ensure that shipping routes remain navigable. Dutch dredging companies worked on the world's largest dredging and land reclamation projects, including the construction of the airport off the coast of Hong Kong and the artificial island of Palm Jumeirah off the coast of Dubai.

Palm Jumeirah voor de kust van Dubai is aangelegd door het Nederlandse baggerbedrijf Van Oord.

Palm Jumeirah off the coast of Dubai was constructed by the Dutch dredging company Van Oord.

Een polder in zee, met als uitgangspunt de twee rotsachtige eilandjes Chek Lap Kok en Lam Chau, dat was voor Hongkong de enige mogelijkheid om een nieuwe luchthaven te bouwen. Van Oord en Boskalis, de grootste baggeraars ter wereld, slaagden in hun opzet en legden een groot kunstmatig eiland aan. Ze vlakten beide eilanden af, stortten al het puin in zee en haalden de nodige extra grond uit de omliggende zeebodem. Met beide eilandjes meegerekend ontstond nieuw land ter grootte van 12,5 vierkante kilometer. Hong Kong International Airport (of Chek Lap Kok) is inmiddels een van de grootste en drukste luchthavens ter wereld. Boskalis stelde vervolgens voor een tweede nationale luchthaven in zee te bouwen voor de Nederlandse kust. Net als in Hongkong zou dat geluids- en milieuhinder helpen voorkomen. Dit ambitieuze plan heeft het niet gehaald, maar niets lijkt onmogelijk.

De bekende baggermolen die knarsend en piepend met roterende emmers zand en blubber opschepte, is verleden tijd. Het moderne materieel luistert naar namen als snijkop- en sleephopperzuigers. De snijkopzuiger vreet zich een weg in harde ondergrond en zuigt het losgewoelde materiaal gelijktijdig weg. De hopper is een varende stofzuiger. Ook het weghalen van zand ónder de bodem behoort tegenwoordig tot de mogelijkheden. Het baggermateriaal wordt elders gestort of gebruikt

The familiar grind and squeak of a bucket ladder dredger, picking up sand and mud on a rotating chain of buckets, is now a thing of the past. Modern equipment goes by names such as a suction cutter dredger or trailing hopper suction dredger. The former is used for hard ground, cutting a scar and sucking up the loosened material at the same time. The hopper is more like a floating vacuum cleaner. Nowadays it is even possible to remove sand from underneath the soil bed.

↑
Stoom-baggermolen met roterende emmers uit de jaren twintig.

Steam dredger with rotating buckets, dating from the nineteen twenties.

AIRPORTS IN THE SEA

Het kunstmatige eiland van Hong Kong Internati-onal Airport is aangelegd door Nederlandse bag-gerbedrijven.

The artificial island for Hong Kong International Airport was constructed by Dutch dredging com-panies.

A polder in the sea, starting from the two rocky islands of Chek Lap Kok and Lam Chau, that was the only way Hong Kong could build a new airport. Van Oord and Boskalis, the world's larg-est dredging companies, took on the job and built a large artificial island. They levelled both islands off, dumped the rubble in the sea and collected the requisite additional sand from the surrounding seabed. New land was created, 12.5 square kilometres of it if you include both islands. Hong Kong International Airport (or Chek Lap Kok) has now become one of the largest and busiest airports in the world. Boskalis then proposed building a second national airport in the sea off the coast of the Netherlands. It would help reduce noise nuisance and the environ-mental burden, just like in Hong Kong. Their ambitious plan did not make it, but nothing seems impossible.

Sleephopperzuigers vullen hun eigen ruim (hopper) met het opgezo-gen materiaal.

Trailing hopper suction dredgers fill their own holds (or hoppers) with the material they have sucked up.

voor landaanwinning, bijvoorbeeld door het te verpompen via pijpleidingen. Het gaat voor de twee grootste baggerbedrijven ter wereld, Van Oord en Boskalis, echter allang niet meer om baggeren alleen. Deze ondernemin-gen zijn uitgegroeid tot conglomeraten die grote waterbouwkundige werken realiseren, offshore-projecten uitvoeren, pijpleidin-gen leggen, bodemonderzoek verrichten of windparken op zee aanleggen. Waar ook ter wereld.

The dredgings are dumped elsewhere or used for land reclamation, for example by pumping them away through pipelines. Van Oord and Boskalis, the two largest dredging companies in the world, now tackle a lot more than just dredging. These two companies have grown into conglomerates carrying out civil engineer-ing work and offshore projects, constructing pipelines, surveying the sea or river beds or building wind farms in the sea. Anywhere in the world.

Nadat in de jaren zestig onder het bodemopper-
vlak van de Noordzee olie en gas waren gevonden, ontstond een bloeiende offshore-industrie,
waarvan een reeks bedrijven zou profiteren. De
opkomst van de olie- en gasindustrie schiep
nieuwe markten en vroeg om nieuwe diensten.
Baggeraars breidden hun vloot gestaag uit en
namen telkens modernere schepen in de vaart,
die ze ook elders in de wereld inzetten. Heerema
bijvoorbeeld installeert niet alleen wereldwijd
offshore-productieplatformen voor de olie- en
gasindustrie met behulp van de grootste kraan-
schepen ter wereld, maar ontwerpt en bouwt ze
ook. De laatste decennia kent de offshore een
nieuwe bedrijvigheid: het aanleggen van windparken. De Noordzee is namelijk relatief ondiep,
heeft een geschikte ondergrond, het waait er
flink en in tegenstelling tot windmolens op land
hebben weinigen er op zee last van.

The discovery of oil and gas under the North
Sea in the nineteen sixties led to a flourishing offshore industry, from which a number of
companies benefited. The boom in the oil and
gas industry created new markets and required
new services. Dredging companies steadily
expanded their fleets and deployed increasingly modern ships, which they could also use
elsewhere in the world. Heerema, for instance,
not only installs offshore-production platforms
for the oil and gas industry worldwide using
the largest seagoing cranes in the world, but
also designs and builds the cranes. In the last
decade or so the offshore sector has found a
new role: constructing wind farms. The North
Sea is relatively shallow, the sea floor is suitable, the winds are strong and (in contrast with
windmills on land) not many people object to
offshore wind turbines.

*De Thialf van de
Heerema Group,
gebouwd in 1985, is
het grootste kraanschip
ter wereld.*

*The Thialf of the
Heerema Group, which
was built in 1985, is the
largest crane vessel in the
world.*

P&O NEDLLOYD MONDRIAAN
MONROVIA

KROONPRINS WILLEM-ALEXANDER

Willem-Alexander, Prins van Oranje, heeft zich na zijn studie gericht op watermanagement, een onderwerp dat goed past bij de Nederlandse traditie en de orderportefeuille van veel Nederlandse bedrijven. In 2006 is de prins door de secretaris-generaal van de Verenigde Naties benoemd tot voorzitter van de Adviesgroep Water en Sanitaire Voorzieningen (UNSGAB). Dit forum heeft als uitgangspunt dat goed management van het beschikbare drinkwater en sanitaire voorzieningen voorwaarden zijn voor duurzame ontwikkeling in de hele wereld. Veel beleid met betrekking tot water is nationaal vormgegeven, maar de problematiek is internationaal. De wereldgemeenschap moet met name vorderingen maken op drie terreinen. Allereerst moet een veel groter percentage van de wereldbevolking toegang krijgen tot veilig drinkwater en sanitaire voorzieningen. In de tweede plaats moet er een wereldwijd gedragen visie over behandeling van afvalwater komen. Tot slot moet meer voedsel geproduceerd worden met behulp van het beschikbare water.

Na de introductie van het stoomschip werden de zeilschepen langzamerhand vervangen. Hierdoor ontstond een nieuwe dienstverlening. Grote schepen moesten door sleepboten geholpen worden bij het in- en uitvaren van havens. Wanneer grote objecten als booreilanden, pijpenleggers, drijvende dokken en kraanpontons over zeeën en oceanen vervoerd moeten worden, bieden krachtige sleepboten uitkomst. Naast de haven- en offshore-sleepdiensten zijn enkele Nederlandse bedrijven

When the steamboat was introduced, the new mode of transport gradually replaced sailing ships. This created new services. Tugboats had to help large ships sail in and out of port. When huge objects like oil rigs, pipe layers, floating docks and crane pontoons have to be transported across seas and oceans, powerful tugboats are the answer. In addition to harbour and offshore tug services, a few Dutch companies have also specialised in helping ships in need and salvaging abandoned and

↑

Smit Internationale N.V. sleept een olieproductieplatform de Rotterdamse haven uit (2007).

Smit Internationale N.V. towing an oil production platform out of Rotterdam harbour (2007).

CROWN PRINCE WILLEM-ALEXANDER

After he completed his studies, Willem-Alexander, Prince of Orange, focused on water management. It is a topic that fits in well with Dutch traditions, not to mention the order books of many Dutch companies. In 2006, the Secretary General of the United Nations appointed the Prince president of the UN Secretary General's Advisory Board (UNSGAB) for Water and Sanitation. The principle of this forum is that proper management of available drinking water and sanitation is a precondition for sustainable development throughout the world. Many policies related to water are defined at a national level, but the problems are international. The world community needs to make progress in three areas in particular. Firstly, a much greater percentage of the world's population must have access to safe drinking water and sanitation. Secondly, there must be a common vision on wastewater treatment that is supported worldwide. Finally, we have to produce more food using the available water.

Kroonprins Willem-Alexander houdt de jaarlijkse Global Water Partnership Lecture (2011).

Crown Prince Willem-Alexander giving the annual Global Water Partnership Lecture (2011).

Smit Internationale bergt het gezonken vrachtschip Twin Star voor de kust van Peru (2006).

Smit Internationale salvaging the sunken freighter Twin Star off the coast of Peru (2006).

zich gaan specialiseren in het geven van hulp aan schepen in nood en in het bergen van verlaten en gezonken schepen. Nederlandse bergers als Smit Internationale genieten internationaal faam en bij opzienbarende ongevallen duikt hun naam steevast op.
Hollands glorie, in verleden en heden, kent vele dimensies. De Prins van Oranje is een ware vertegenwoordiger van Nederland door zich te richten op watermanagement. In 1997 motiveerde hij zijn keuze als volgt: 'Water is

wrecked ships. Dutch salvage companies such as Smit Internationale enjoy international renown and their names always pop up after major accidents.
The pride of Holland, both now and in the past, has always needed many different skills. The Dutch Crown Prince has opted to focus on water management, making him genuinely representative of the Netherlands. In 1997 he explained his choice as follows: 'Water is something fantastically beautiful. It is a

···⦚

BERGING VAN DE KOERSK

In augustus 2000 verging de Russische atoomonderzeeër Koersk in de Barentszzee. In het schip hadden zich ontploffingen voorgedaan en 118 bemanningsleden lieten het leven. De moderne aanvalsonderzeeër met een lengte van 155 meter lag op een diepte van 108 meter. Twee Nederlandse firma's, Mammoet en Smit Internationale, combineerden hun kennis en ervaring en kregen van de Russische overheid de opdracht het schip te bergen. De neus van de onderzeeër, uitgerust met kernwapens, werd eerst afgezaagd. Aan de romp werden speciale pluggen bevestigd voor hijskabels. Vanuit Amsterdam werd een speciaal voor het hijsen ontworpen ponton door een sleepboot naar het wrak gevaren. Er bleek geen sprake van verhoogde radioactiviteit, de Koersk werd opgehesen en onder het ponton gehangen aan speciaal bevestigde stalen zadels. Vervolgens werd de romp naar Moermansk gevaren. Deze berging staat te boek als een van de moeilijkste in de geschiedenis van de zeevaart.

De Russische atoom-onderzeeër Koersk werd in 1994 in de vaart genomen.

The Russian nuclear submarine Kursk was into service taken in 1994.

iets fantastisch moois, het is een primaire levensbehoefte, het is gezondheid, het is milieu, het is transport, het is een gevecht tegen water of een gevecht voor water als daar te weinig van is, en bovenal is het een oer-Hollands onderwerp.' De keuze was mede ingegeven door de betrokkenheid van zijn vader bij ontwikkelingssamenwerking. De prins zet zich onder andere als voorzitter van de Adviesgroep Water en Sanitaire Voorzieningen van de Verenigde Naties in voor universele toegang tot veilig drinkwater.

basic necessity, it is health, it is the environment, it is transport. You may be in a battle against the water, or fighting for it when there is not enough. And above all, it is a very Dutch topic.' The choice was also inspired by the fact that his father was involved in development cooperation. As the chairman of the United Nations Water and Sanitation Advisory Board, the Prince is also making efforts to ensure universal access to safe drinking water. In October 2010, he struck the first Waterland Vijfje,

↑

Smit Internationale bergt de olie uit de in tweeën gebroken Selendang Ayu (2004).

Smit Internationale salvaging oil from the Selendang Ayu, which broke in two (2004).

SALVAGING THE KURSK

The Russian nuclear submarine Kursk sank in the Barents Sea in August 2000. There had been explosions on board and 118 crew members were killed. The modern attack submarine, 155 metres long, was lying at a depth of 108 metres. Two Dutch companies, Mammoet and Smit Internationale, combined their knowledge and experience and the Russian government assigned them the job of salvaging the vessel. The nose of the submarine, which was equipped with nuclear weapons, was sawn off first. Special plugs for the hoisting cables were fixed on the hull. A pontoon crane specifically designed for hoisting was hauled to the wreck from Amsterdam by tugboat. As it turned out, radioactivity levels were not elevated and the Kursk was lifted and then suspended underneath the pontoon in specially fitted steel saddles. The hull was then transported to Murmansk. This salvaging operation is seen as one of the most difficult in the history of maritime shipping.

Het Waterland Vijfje, een in 2010 geslagen gelegenheidsmunt van vijf euro.

The Waterland Vijfje, a commemorative five-euro coin that was struck in 2010.

In oktober 2010 sloeg hij het eerste exemplaar van het Waterland Vijfje, de herdenkingsmunt die de bijzondere band symboliseert van Nederland met het water. De beeltenis van koningin Beatrix spiegelt zich, net als de tekst, langs de horizontale as in het water. Op de achterzijde loopt een verticale as midden door Nederland. Het linkerdeel ligt onder water als Nederland niet beschermd zou zijn door duinen, dijken en Deltawerken. Waar Nederland goed in is: Hollands glorie omzetten in klinkende munt.

a commemorative five-euro coin symbolising the special bond the Netherlands has with water. The image of Queen Beatrix, like the text, is reflected in the water along a horizontal axis. On the obverse, a vertical axis runs through the middle of the Netherlands. The left-hand section would be under water if the country was not protected by dunes, dykes and the Delta Works. It's something the Dutch are good at: turning the pride of Holland into money.

In words and images

Water has always been a popular theme for Dutch painters and writers

Zeegezicht bij Schouwen uit omstreeks 1826 door Petrus Johannes Schotel (1808-1865).

Zeeland Waters at Schouwen (c. 1826) by Petrus Johannes Schotel (1808-1865).

Geschilderd en beschreven

Schilders en schrijvers hebben in Holland en het water altijd een geliefd thema gevonden

Aan het interieur van Nederlanders vallen de grote boekenkasten op die hele wanden bedekken. De resterende wanden hangen vaak vol schilderijen, prenten en reproducties. In de huizen valt heel wat te vinden over Holland en zijn eeuwenlange relatie met het water: van schilderachtig weergegeven landschappen tot avontuurlijke jongensboeken over ontdekkingsreizen.

Large bookcases that cover entire walls are a striking feature in many Dutch homes. The remaining walls are often full of paintings, prints and reproductions. The houses may tell you a lot about Holland and its age-old relationship with water: from picturesque landscapes to boys' adventure books about voyages of discovery.

↑

*Zeegezicht met vissende
Hollandse haringboten
door Cornelis Beelt
(1640-1701).*

*Seascape with Dutch
herring fishing boats
by Cornelis Beelt
(1640-1701).*

←

*Standbeeld van de
schilder Rembrandt in
Amsterdam (1852) door
Louis Royer (1783-1868).*

*Statue of the painter
Rembrandt in Amsterdam
(1852) by Louis Royer
(1783-1868).*

Hollandse schilders zijn de eersten geweest
die het landschap hebben weergegeven als
zelfstandig thema. Zeventiende-eeuwse landschappen bootsen het alledaagse realistisch
na. Schepen in een storm kunnen duiden op
de moeilijke en kortstondige levensreis van
de mens, mooi weergegeven natuur op Gods
schepping. Maar het kan ook zijn dat er in deze
schilderijen helemaal geen diepere betekenis
verscholen ligt en dat het door mensenhanden
vormgegeven Hollandse landschap gewoon
aantrekkelijk gevonden werd.

Dutch painters were the first to portray landscapes as a theme in its own right. Seventeenth-century landscapes gave a realistic
portrayal of everyday life. Ships in a storm
might be a reference to man's difficult, short
journey through life, or beautifully painted nature a reflection of God's creation, but it is also
possible that these paintings have no deeper
meaning at all and that people just found the
man-made Dutch landscapes attractive. The
visible world was painted and studied in detail
– everything from insects, tulips and fishes

Twee tulpen, een vlinder
en een rups, aquarel door
Margareta de Heer (ca.
1600-ca. 1665).

Two tulips, a butterfly
and a caterpillar, water-
colour by Margareta de
Heer (c. 1600-c. 1665).

Het opmeten van een bij
Zandvoort gestrande griend
in 1594. Anonieme prent.

Measuring a beached
pilot whale at Zandvoort,
1594. Anonymous print.

Interieur van het Behouden
Huys. Prent van de overwintering op Nova Zembla in
1596-1597.

Interior of the Behouden
Huys (the Saved House).
Print of the winter stay on
Nova Zembla in 1596-1597.

Bronzen beeldengroep
uit 1968 van de scheeps-
jongens van Bontekoe in
de haven van Hoorn.

Bronze statues from
1968 of Bontekoe's cabin
boys in the harbour of
Hoorn.

De zichtbare wereld werd gedetailleerd afge-
beeld en bestudeerd, zoals insecten, tulpen,
vissen of aangespoelde walvissen. Die opmer-
kelijk nauwkeurige verbeelding van de natuur
doet het onderscheid tussen kunstenaar en
onderzoeker vervagen. Toen Johan Maurits van
Nassau (1604-1679) in 1637 gouverneur van
Brazilië werd, liet hij schilders en wetenschap-
pers de flora en fauna van dit nieuwe land be-
schrijven. Kuststreken en volkeren werden door
de Hollanders overal in kaart gebracht en in
boeken beschreven. Voor hun vroegst bekende

to beached whales. That remarkably accurate
portrayal of nature can blur the distinction
between artist and researcher. When Johan
Maurits van Nassau (1604-1679) became governor of Brazil in 1637, he asked painters and
scientists to describe the flora and fauna of the
new country. Coastal areas and populations
were mapped out everywhere by the Dutch and
described in books. Many countries today rely
on information recorded diligently back then
by the Dutch for their earliest documented
history.

*Braziliaans landschap
met details van ananas,
slang en gordeldier door
Frans Post (1612-1680).*

*Landscape in Brazil with details
including a pineapple, a snake
and an armadillo, by Frans Post
(1612-1680).*

geschiedenis zijn veel landen vandaag de dag
aangewezen op wat de Hollanders toen ijverig
hebben vastgelegd.
Op zoek naar een handelsroute naar Azië via
het noordpoolgebied raakte in 1596 het schip
van Willem Barentsz vast in het ijs bij Nova
Zembla. Het spectaculaire verhaal van de barre
overwintering en terugkeer, voorzien van fraaie
prenten, verscheen al twee jaar later in druk.
Veel scheepjournaals werden uitgegeven en
maakten iedereen die lezen kon, deelgenoot
van de expedities, de handel, de verre landen

While Willem Barentsz was looking for a trade
route to Asia through the Arctic in 1596, his
ship got stuck in the ice at Nova Zembla. The
spectacular story of the harsh winter he and
his men spent there and their return was published as a printed work just two years later,
complete with beautiful pictures. Many ships'
logs were published, letting everyone who
could read share in the expeditions, the trade,
the far-off lands and their unfamiliar peoples.
The logbook of the Hoorn skipper Bontekoe
was even reprinted dozens of times. People

en hun vreemde volkeren. Het journaal van de Hoornse schipper Bontekoe is zelfs tientallen keren herdrukt. De schipbreuk, zijn wonderbaarlijke redding en alle andere avonturen van Bontekoe werden graag gelezen. De schrijver Johan Fabricius maakte er later een spannend jongensboek van. Zijn hoofdfiguren, de scheepsjongens Hajo, Padde en Rolf, zijn in een bronzen beeldengroep vereeuwigd in de haven van Hoorn. Zeehelden als Piet Heyn (1577-1629) en Michiel de Ruyter (1607-1676) verwierven in hun tijd al eeuwige roem. In de negentiende eeuw werd dat roemrijke verleden verheerlijkt. Van de behuizing tijdens de overwintering op Nova Zembla werden de resten teruggevonden om te worden tentoongesteld in het Rijksmuseum. Van mensen die bij uitstek hadden bijgedragen aan Nederlands trots, zoals Rembrandt en De Ruyter, werden grote beelden opgericht. Nadat de fotografie haar intrede had gedaan, zijn sommige schilderijen, zoals Vermeers *Melkmeisje* of Ruisdaels *Molen bij Wijk bij Duurstede*, zo vaak gereproduceerd dat ze als iconen van Holland niet meer weg te denken zijn.
Het grootste schilderij van Nederland is het panorama dat Hendrik Willem Mesdag (1831-1915)

loved to read about him being shipwrecked, his miraculous rescue and all Bontekoe's other adventures. Later on, the writer Johan Fabricius wrote an exciting boys' adventure tale about it. His main characters, the cabin boys Hajo, Padde and Rolf, have been immortalised in a group of bronze statues in Hoorn harbour. Naval heroes like Piet Heyn (1577-1629) and Michiel de Ruyter (1607-1676) had already become legends in their own lifetimes. That glorious past was romanticised in the nineteenth century. The remains of the housing used during that winter on Nova Zembla were found, after which they were exhibited at the Rijksmuseum. Large statues were erected of people who had made significant contributions to Holland's glorious past, such as Rembrandt and De Ruyter. After photography appeared on the scene, some paintings such as Vermeer's *Melkmeisje* (The Milkmaid) or Ruisdael's *Molen bij Wijk bij Duurstede* (Mill at Wijk bij Duurstede) were reproduced so many times that they have become genuine Dutch icons.
The largest painting of the Netherlands is the panorama made by Hendrik Willem Mesdag (1831-1915). Its circumference is 120 metres and its height 14 metres. You can stand in the

↑

Kinderen der zee
*(1872), een van de vele
strandgezichten die Jozef
Israëls maakte.*

Children of the Sea
*(1872), one of the many
beach views made by Jozef
Israëls.*

maakte. Het heeft een omtrek van 120 meter en is 14 meter hoog. Je staat midden ín het ronde doek en waant je onderdeel van de omgeving. De Noordzee, de duinen, het strand, Den Haag en Scheveningen, ze zijn allemaal heel realistisch weergegeven. Mesdag behoorde tot de Haagse School, net als bijvoorbeeld Josef Israëls (1824-1911). Israëls is onder andere bekend om zijn strandgezichten met spelende kinderen en vissersboten. De schilders van de Haagse School, die streefden naar een realistische weergave van licht en atmosfeer, grepen voor hun landschappen terug op hun voorgangers uit de zeventiende eeuw. Een sloot, een koe in de wei, een vissersboot op zee, het zijn

middle of the round canvas and imagine that you are part of the environment. The North Sea, the dunes, the beach, The Hague and Scheveningen... all portrayed very realistically. Mesdag belonged to the Hague School of painting, as did Josef Israëls (1824-1911). Israëls is famous for his beach views with children playing and fishing boats. The painters of the Hague School, who aimed to produce realistic portrayals of light and atmosphere, drew inspiration from their predecessors in the seventeenth century. A ditch, a cow in a field or a fishing boat at sea were some of their favourite subjects... as long as the artworks had that impressionist feel.

↑
Koe aan de slootkant,
ongedateerd, een impres-
sionistisch werk van
Willem Maris (1844-1910).

Cow by a ditch, *an*
undated, impressionist
work by Willem Maris
(1844-1910).

voor hen geliefde onderwerpen, mits sfeervol en impressionistisch geschilderd.

Ook onder schrijvers en dichters ontstond in de negentiende eeuw een voorkeur voor de natuur en het Hollandse oerlandschap. Velen van hen gingen buiten de stad wonen, aan zee of in een landelijke omgeving. Frederik van Eeden (1860-1932) stichtte de idealistische kolonie Walden bij Bussum en ging er in een eenvoudig hutje wonen. Het landschap dat zij nog kenden, bezongen en beschreven, is echter in hoog tempo veranderd. Die ontwikkeling werd óók door dichters opgemerkt. J.C. Bloem vroeg zich in zijn bekende gedicht 'De Dapperstraat' (een straat in Amsterdam) af: 'En dan: wat is natuur

Writers and poets also developed a preference for natural, authentic Dutch landscapes in the nineteenth century. Many of them moved away from the cities to live by the sea or in a rural setting. Frederik van Eeden (1860-1932) founded the idealistic Walden colony near Bussum and went to live in a simple cottage. But the landscape that they loved, praised and wrote about was changing extremely quickly. Poets had also noted the same development. In his well-known poem 'De Dapperstraat' (which is a street in Amsterdam), J.C. Bloem asked 'What nature is left in this country now, anyway? / The odd patch of woodland, the size of a newspaper,

HET HOLLANDSE LICHT

Luchten op Hollandse schilderijen van landschappen uit de zeventiende eeuw zijn wereldberoemd. Zware wolkenpartijen worden er afgewisseld met lichtstralen van de zon. De nadruk op de lucht is groot, de horizon wordt laag gehouden. Volgens een populaire theorie is het kenmerkende Hollandse licht een gevolg van weerkaatsing van zonlicht op grote wateroppervlaktes. Spiegeling verstrooit het licht en de onderkant van de wolken wordt als het ware ook beschenen. Hoe groter het wateroppervlak, des te feller het licht. Dat Hollandse licht zou niet meer bestaan sinds vele meren en plassen, en vooral delen van het IJsselmeer, zijn ingepolderd. Het spiegelend wateroppervlak werd er immers significant door verkleind. Of het Hollandse licht werkelijk is veranderd, is moeilijk vast te stellen, want elke schilder had zijn eigen stijl en methode. Schilderijen van Hollandse meesters met dit Hollandse licht kun je over de hele wereld in collecties aantreffen.

Het Hollandse licht veroorzaakt door spiegeling van het water.

Dutch light, caused by reflections in the water.

nog in dit land? / Een stukje bos, ter grootte van een krant, / Een heuvel met wat villaatjes ertegen'. Het waterrijke landschap in Nederland is overwegend het resultaat van menselijk ingrijpen. Daardoor verandert het voortdurend, wordt natuur toegevoegd of opgeslokt. Voor schilders en schrijvers vormt het een blijvende bron van inspiratie.

/ and a hill with a few nice houses nearby'. The landscape in the Netherlands, with water in such abundance, is largely the result of human intervention. That is why it is changing continuously, as natural areas are added or devoured. It remains a lasting source of inspiration for painters and writers.

Hollands licht in een tafereel met veerpont van Salomon van Ruisdael (ca. 1602-1670) uit 1649.

Dutch light in Ferry on a River, *1649, by Salomon van Ruisdael (c. 1602-1670).*

THE DUTCH LIGHT

The skies in seventeenth-century Dutch landscapes are world-famous. Heavy clouds alternating with rays of sunlight. The skies are emphasised and the horizon line is kept low down. One popular theory is that the characteristic Dutch light quality is caused by sunlight reflecting off large areas of water. Reflection disperses the light and so the undersides of the clouds seem to be lit as well. The more water, the brighter the light. People say that this Dutch light no longer exists, now that so many lakes, ponds and above all parts of the IJsselmeer have been drained. After all, the area of reflective water surface has been significantly reduced. It is hard to say whether the light in the Netherlands really has changed, because every painter had his own style and method. You can certainly find paintings by Dutch masters depicting this Dutch light quality in collections all over the world.

Het melkmeisje van Johannes Vermeer (1632-1675), ontelbaar vaak gereproduceerd.

The milkmaid by Johannes Vermeer (1632-1675), which has been endlessly reproduced.

Hendrik Marsman (1899-1940) dichtte zijn beroemde 'Herinnering aan Holland' in 1936, toen hij in het buitenland verbleef. Dit gedicht roept het beeld op van het weidse rivieren- en polderlandschap, de Hollandse luchten en de eeuwige dreiging van overstromingen. Het is een ode aan het Hollandse landschap. Niet zonder reden werd het gedicht in 1999 gekozen tot 'Gedicht van de eeuw'.

HERINNERING AAN HOLLAND

Denkend aan Holland
zie ik breede rivieren
traag door oneindig
laagland gaan,
rijen ondenkbaar
ijle populieren
als hoge pluimen
aan de einder staan;
en in de geweldige
ruimte verzonken
de boerderijen
verspreid door het land,

boomgroepen, dorpen,
geknotte torens,
kerken en olmen
in een groots verband.
De lucht hangt er laag
en de zon wordt er langzaam
in grijze veelkleurige
dampen gesmoord,
en in alle gewesten
wordt de stem van het water
met zijn eeuwige rampen
gevreesd en gehoord.

De Waal bij Varik. Hendrik Marsman moet aan zulke riviergezichten voor zijn gedicht gedacht hebben.

The River Waal at Varik. Hendrik Marsman must have had river views like this in mind for his poem.

Hendrik Marsman (1899-1940) wrote his famous poem 'Herinnering aan Holland' (Memory of Holland) in 1936, when he was living abroad. This poem evokes the image of broad rivers and polder landscapes, Dutch skies and the eternal threat of flooding. It is an ode to the Dutch landscape. It is no coincidence that this poem was chosen in 1999 as the Dutch 'Poem of the century'.

MEMORY OF HOLLAND

Thinking of Holland
I see wide-flowing rivers
slowly traversing
infinite plains,
inconceivably
rarefied poplars
like lofty plumes
on the skyline in lanes;
and submerged in the vastness
of unbounded spaces
the farmhouses
strewn over the land,

tree clumps, villages,
truncated towers,
churches and elm trees -
all wondrously planned.
The sky hangs low
and slowly the sun by
mists of all colours
is stifled and greyed
and in all the regions
the voice of the water
with its endless disasters
is feared and obeyed.

Translation: Paul Vincent, 2006

Living afloat

From houseboats and floating homes to water villas: living on the water is a logical choice

Drijvend eiland van Arie Taal met tuin en huisjes van hergebruikt materiaal, Amsterdam.

Floating island by Arie Taal, with a garden and sheds made of reused material, Amsterdam.

Drijvend wonen

Van woonschip en woonark tot watervilla's: wonen op het water is een logische keuze

Arme mensen gebruikten afgedankte schepen om in te kunnen wonen. Wonen op het water was vooral een noodgreep. Opnieuw is er een noodzaak. Ruimtegebrek, verstedelijking en klimaatverandering nopen tot bouwen op het water: van spectaculaire drijvende watervilla's en drijvende kassen om groenten in te telen tot drijvende steden die op de tekentafel liggen.

In the past, poor people used discarded boats as homes. Living on the water was usually a last resort. Now it is becoming a necessity once again. Shortage of space, urbanisation and climate change are pushing people to build on the water – from spectacular floating water villas and floating greenhouses for growing vegetables through to complete floating cities on the drawing table.

Woonschepen maken net als huizen op land gebruik van nutsvoorzieningen en zijn door kabels en leidingen verbonden met de kade. Varende schepen moeten uiteraard water inslaan, volle accu's meenemen of zelf elektriciteit opwekken met behulp van zonnecellen. Bij de Ge-Woonboot, een ecologische woonark, zijn allerlei duurzame technieken toegepast om juist onafhankelijk te zijn van de nutsvoorzieningen. Zonnecellen wekken de elektriciteit op voor energiezuinige apparaten. De gevel is goed geïsoleerd. Een zonneboiler en een warmtepomp zorgen voor de benodigde warmte. Al het afvalwater wordt geleid naar een ecologisch zuiveringssysteem dat als een drijvende tuin met riet naast de woning ligt. Op het dak opgevangen regenwater wordt gefilterd tot spoelwater voor toilet en wasmachine. Een deel wordt gezuiverd tot drinkbaar huishoudwater. Dergelijke woonarken bieden voordelen: je bent onafhankelijk van de nutsvoorzieningen en je draagt bij aan een duurzame leefwijze.

Amsterdam telt bijna drieduizend woonboten, die verspreid over de grachten aan de kades liggen. Soms liggen er meerdere boten naast elkaar, zodat je alleen via de eerste op de volgende kunt komen. Het is een bont geheel, want elke woonboot is weer anders. Oud en modern, klein en groot, armoedig en luxueus wisselen elkaar af. Roeibootjes en drijvende tuinen liggen naast de schepen en arken. Soms is een deel van de kade in gebruik als tuin of opslag. Woonboten en hun bewoners

There are nearly three thousand houseboats in Amsterdam, moored at various points along the canals and quays. Sometimes several are moored alongside each other, so that you can only get to one via the other. They are a colourful collection, as each houseboat is different from the rest. Old next to modern, big next to small, rough-and-ready next to luxurious. There are rowing boats and floating gardens moored next to these ships and houseboats. Sometimes part of the quay has been put to use as

↑
Woonboten in soorten en maten in de Amsterdamse Brouwersgracht.

Houseboats in all shapes and sizes in the Brouwersgracht, Amsterdam.

GEWOONBOOT

Like their onshore counterparts, houseboats need utilities and so they are connected to the quay-side by cables and pipes. Vessels that are on the move obviously need to take their own fresh water supplies and charged batteries, or alternatively, must use solar cells to generate their own electricity. The *GeWoonboot* (*gewoon*, everyday or normal, plus *woonboot*, houseboat) is an eco-logical floating home that uses all sorts of sustainable technologies so that it does not have to be connected up to the usual utilities. Solar cells generate the electricity for energy-efficient devices. The walls are thoroughly insulated. A solar boiler and heat pump provide the necessary heat. All the wastewater goes to an environmentally friendly purification system that is next to the house, a floating reed garden. Rainwater is collected on the roof and filtered to provide water for flush-ing the toilet and for the washing machine. This type of floating home or 'ark' offers a number of advantages: independence from utility supplies and a contribution to a sustainable society.

↑

De GeWoonboot, een drijvend appartement dat zelfvoorzienend is.

The GeWoonboot, a self-sufficient floating apartment.

┄┈→

Veel oude vrachtsche-pen zijn omgebouwd tot woning (Levantkade Amsterdam).

A lot of old cargo vessels have been converted into housing (Levantkade, Amsterdam).

zijn bepalend voor het karakter van de stad, maar werden niet altijd gewaardeerd. Eigena-ren van statige grachtenpanden protesteerden meer dan eens tegen een tot woning omge-bouwd afgedankt vrachtschip dat pal voor hun deur een ligplaats vond.

Hoewel er altijd wel op schepen gewoond en gebivakkeerd is, ontstond het woonschip als fenomeen pas aan het einde van de negen-tiende eeuw. Er heerste woningnood en de trek naar de stad was groot. Houten vrachtschepen

a garden or for storage. Houseboats and their residents are a defining feature of the city, although they were not always appreciated. Owners of grand canal-side premises have protested more than once when a former cargo vessel is converted into a home and moored right outside their front door.

Although boats have always been used for housing or as a place to sleep, the phenome-non of the houseboat only appeared at the end of the nineteenth century. A lot of people were

Koffie drinken bij een kacheltje en een petroleumlamp in een woonboot (1922).

Having a cup of coffee by a fire and spirit light in a houseboat (1922).

Een schamele woonboot in de later gedempte Vijzelgracht in Amsterdam (1920).

A modest houseboat in the Vijzelgracht in Amsterdam, which was later blocked off (1920).

werden in die tijd vervangen door ijzeren en waren gemakkelijk verkrijgbaar. Met enkele simpele ingrepen had je ze omgebouwd tot woonruimte. Oude havens en kanalen waren niet meer geschikt voor de grotere vrachtschepen en boden nu een ligplaats voor woonschepen. Binnenschepen hadden al een klein woonverblijf voor de schipper en zijn gezin. Met het laadruim erbij beschikte je al snel over meer ruimte dan in een woninkje aan land. Zowel in het interbellum als na de Tweede

moving to the cities and there was a severe housing shortage. Wooden freighters were easy to obtain as they were being replaced with iron ones. A few simple modifications and they were soon converted into housing. Older harbours and canals were no longer suitable for the larger cargo vessels, so they could provide moorings for these houseboats. Inland waterway barges already had modest living quarters for the skipper and his family. With the hold included, you soon had more

↑
Het Woonbootmuseum
is een voormalig vracht-
schip, Prinsengracht
Amsterdam.

The Houseboat Museum
is a former freighter
(Prinsengracht,
Amsterdam).

⋯⟶
Drooggevallen woonark
tijdens extreem lage
waterstand van de grote
rivieren (2009).

High and dry: a floating
home when levels of the
major rivers were excep-
tionally low (2009).

Wereldoorlog ging woningnood gepaard
met sanering van de binnenvaartvloot. Voor
commerciële vrachtvaart te klein geworden
vrachtschepen kregen een tweede leven als
woning. Er waren woonboten die in slechte
staat verkeerden en zonder toestemming
en voorzieningen een plekje hadden gevonden. Van aansluiting op het riool was zelden
sprake. Gemeenten behandelden woon-
bootbewoners vaak als die van woonwagens
en waren ze liever kwijt dan rijk. Toen het

space than a small house ashore would have
provided.
Both between the wars and after the Second
World War, housing shortages coincided with
cuts in the barge fleet. Freighters that had
become too small for commercial use gained a
second lease of life as accommodation. Some
houseboats were in poor condition and had
been moored without permission and with
no facilities. They were rarely connected to
the sewers. Municipalities treated houseboat

DRIJVENDE TUINEN

Het begon met de hippies. De Amerikaanse kunstenaar Walter Glück (1929-1986), die bekend-stond als Victor IV, woonde in Amsterdam op een oud vrachtschip bij de Blauwbrug. Hij had allerlei vlotten gebouwd, ze met stro bedekt en rond zijn schip gedrapeerd. Zijn veelkleurige en drijvende tuinen, waarvoor rondvaartboten altijd even inhielden, waren begroeid met planten en werden bewoond door kippen en eenden: een kleine anarchistische oase midden in de drukke stad. Kunstenaar en provo Robert Jasper Grootveld (1932-2009) experimenteerde met drijvende tuinen. Blokken van piepschuim knoopte hij met gaas en netten aan elkaar en hij voorzag ze van een laag aarde. Hierop kan van alles groeien, inclusief boompjes. De tuintjes hebben een groot drijfvermogen, zijn praktisch onverwoestbaar en zinken nooit. Je kunt de tuinen net zo groot en sterk maken als je wilt. Wie oplet, ziet ze overal in de Amsterdamse grachten. Bedrijven hebben het idee inmiddels verder ontwikkeld.

↑
Drijvende tuinen van de Amerikaanse kunstenaar Victor IV bij de Blauwbrug in Amsterdam.

Floating gardens by the Amsterdam artist Victor IV, near the Blauwbrug bridge in Amsterdam.

←
Het oppervlaktewater in Amsterdam is goed ge-noeg om in te zwemmen, Javakade.

The surface water in Am-sterdam is good enough to swim in (Javakade).

betonnen casco zijn intrede deed, konden er drijvende huizen worden gemaakt. Een beton-nen bak werd naar een ligplaats gesleept en daar tot woonark afgebouwd, soms met meer-dere verdiepingen. Gemeenten hanteren een woonbotenbeleid en bieden tegenwoordig vaste ligplaatsen aan met een standaard ber-ging aan wal, inclusief aansluitingen van de nutsvoorzieningen en het riool. Sinds 2005 is het niet meer toegestaan om ongezuiverd te lozen op het oppervlaktewater en kan er bij

residents in much the same way as travellers' caravans: not in my back yard. When prefabri-cated concrete hulls were introduced, float-ing houses became a possibility. A concrete shell is towed to a mooring place where it is converted to a floating home, sometimes with more than one storey. Municipalities have houseboat policies nowadays and offer permanent mooring places with storage on the quayside as standard, including connections to the utilities and the sewer system.

FLOATING GARDENS

The hippies started it. The American artist Walter Glück (1929-1986), better known as Victor IV, lived in Amsterdam on an old cargo boat near the Blauwbrug bridge. He built all kinds of rafts, covered them with straw and arranged them around his boat. His colourful floating gardens, always a point at which the sightseeing cruise boats paused for a moment, were festooned with plants. Chickens and ducks lived on them too – a small anarchistic oasis in the middle of the bustling city. The artist and anarchist Provo Robert Jasper Grootveld (1932-2009) also experimented with floating gardens. He tied blocks of polystyrene foam together with wire mesh and netting, and then added a layer of earth on top. All sorts of vegetation can grow on these structures, even small trees. These gardens are very buoyant, practically indestructible and never sink. You can make them as big and as strong as you want. If you look carefully, you will see them dotted all around the canals in Amsterdam. Companies have now developed the idea even further.

Watervilla's in Leeuwarden die langs ronde palen met de stand van het water meebewegen.

Water villas in Leeuwarden. They move up and down with the water level along round poles.

de woonboten veilig gezwommen worden. De laatste jaren is belangstelling ontstaan bij architecten en projectontwikkelaars voor bouwen óp water. Er is een structureel gebrek aan ruimte in Nederland, terwijl tegelijkertijd vele tienduizenden hectaren land zijn aangewezen om in geval van nood water te bergen. Drijvende gebouwen zijn de voor de hand liggende oplossing, zodat de overloopgebieden toch voor wonen en economische activiteiten benut kunnen worden. De eerste

Untreated discharges into the surface waters have not been permitted since 2005 and it is now safe to swim near houseboats.
Interest among architects and project developers in construction on the water has grown over recent years. There is a fundamental shortage of space in the Netherlands, while at the same time many tens of thousands of hectares are designated as flood storage basins for emergency situations. Floating buildings are the obvious solution, so that the overflow basins can

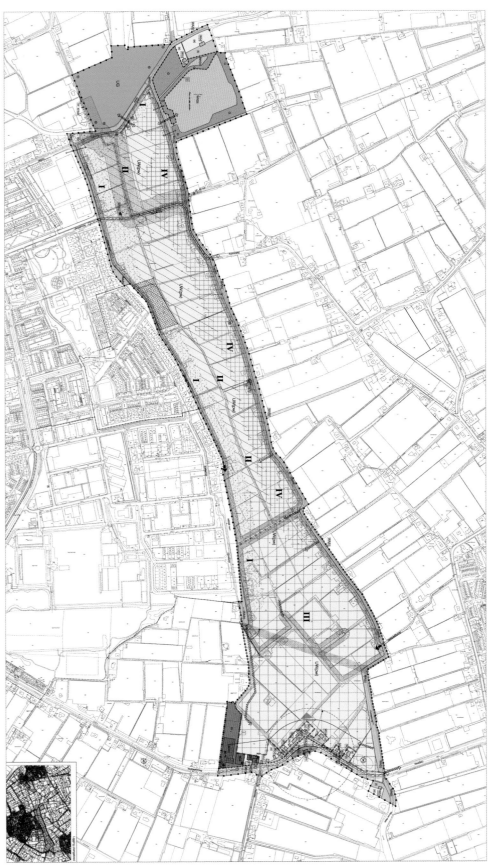

In het Nieuwe Water bij Naaldwijk, vroeger een polder, komen water-woningen.

Accommodation is being built on the water at Het Nieuwe Water near Naaldwijk, which used to be a polder.

resultaten bieden een fascinerende blik op de toekomst. IJburg is een nieuwe wijk bij Amsterdam, die uit kunstmatig in het IJsselmeer gemaakte eilanden bestaat. Hier liggen inmiddels meer dan honderd villa's op het water. Ze zijn gebouwd op betonnen caissons met de onderste verdieping half in het water. De huizen bewegen mee met het waterpeil langs ronde palen die bij de vier hoeken geplaatst zijn en die het huis ook horizontaal houden. De stad Almere wil enkele duizenden woningen buitendijks in het IJsselmeer realiseren. Bij Naaldwijk is in 2005 de eerste drijvende kas ter wereld geopend.

In het Westland wordt in een voormalig kassengebied een hele polder onder water gezet. Hier wordt 's werelds eerste woonwijk op water gerealiseerd. Van de geplande twaalfhonderd nieuwe huizen zullen er zeshonderd drijven. Een onderdeel is een 'citadel' van zestig woningen, een drijvend complex van luxeappartementen; ook al een primeur. Op de tekentafels zetten de ontwerpers intussen de volgende stap: van golfbanen tot wegen en hele steden... alles lijkt wel drijvend te kunnen

still be used for residential and commercial activities. The first such developments offer a fascinating look into the future. IJburg is a new district near Amsterdam, consisting of artificial islands in the IJsselmeer lake. There are more than a hundred villas on the water there now. They are built on top of concrete hulls with the ground floor half submerged in the water. The houses move up and down with the water level, kept horizontal by four poles attached to the corners of each building. The town of Almere wants to build several thousand houses outside the dykes around the IJsselmeer. The world's first floating greenhouse was opened at Naaldwijk in 2005.

In Westland, an entire polder is being flooded in a former greenhouse cultivation area to create the world's first residential district on water. Twelve hundred new houses are planned, six hundred of them floating. Another component is a 'citadel' of sixty accommodation units, a floating complex of luxury apartments – another first. The designers are already drafting the next steps: everything from golf courses to complete cities... it seems you can

worden gemaakt. In plaats van de strijd tegen het water door polders continu leeg te pompen en dijken telkens te verhogen en te versterken, is de stelregel van deze ontwerpers om flexibel met de natuur om te gaan, dat wil zeggen meebewegen met het water door alles gewoon te laten drijven.

make almost anything float. Instead of struggling to keep the water at bay by continuously pumping polders dry and keeping on strengthening and raising dykes, these designers have adopted the tactic of a more flexible approach to nature, in other words cooperating with the water simply by letting everything float.

↑
Impressie van de drijvende Citadel op het Nieuwe Water, ontwerp van Waterstudio.

Impression of the floating Citadel on the Nieuwe Water, designed by Waterstudio.

*Detail van een van de
zestig appartementen van
de Citadel, ontwerp van
Waterstudio.*

*Detail of one of the
Citadel's sixty appartments
on the Nieuwe Water,
designed by Waterstudio.*

Musea om te bezoeken | Museums to visit

De Bataviawerf, Lelystad
www.bataviawerf.nl

Ecomare, Texel
www.ecomare.nl

Het Havenmuseum, Rotterdam
www.havenmuseum.nl

Hollands Kaasmuseum, Alkmaar
www.kaasmuseum.nl

Hydrodoe, Herentals, België
www.hydrodoe.be

Ir. D.F. Woudagemaal, Lemmer
www.woudagemaal.nl

Juttersmuseum, Zandvoort aan Zee
www.juttersmuseum.nl

Madurodam, Den Haag
www.madurodam.nl

Het Marinemuseum, Den Helder
www.defensie.nl/marinemuseum

Maritiem Museum Rotterdam, Rotterdam
www.maritiemmuseum.nl

Museum de Cruquius, Cruquius
www.museumdecruquius.nl

Museum Schokland, Schokland
www.schokland.nl

Nationaal Baggermuseum, Sliedrecht
www.baggermuseum.nl

Nationaal Reddingmuseum Dorus Rijkers, Den Helder
www.reddingmuseum.nl

Nederlands Watermuseum, Arnhem
www.watermuseum.nl

Neeltje Jans, Vrouwenpolder
www.neeltjejans.nl

Nieuwland, Lelystad
www.nieuwlanderfgoed.nl

Panorama Mesdag, Den Haag
www.panorama-mesdag.com

Poldermuseum, Andijk
www.poldermuseum.nl

Rijksmuseum, Amsterdam
www.rijksmuseum.nl

Schipbreuk- en Juttersmuseum Flora, Den Burg, Texel
www.juttersflora.nl

Het Scheepvaartmuseum, Amsterdam
www.hetscheepvaartmuseum.nl

Het Nederlandse Vestingmuseum, Naarden
www.vestingmuseum.nl

Watersnoodmuseum, Ouwerkerk
www.watersnoodmuseum.nl

Werfmuseum 't Kromhout, Amsterdam
www.machinekamer.nl

Het Woonbootmuseum, Amsterdam
www.houseboatmuseum.nl

Zaanse Schans, Zaandam
www.zaanschemolen.nl

Zuiderzeemuseum, Enkhuizen
www.zuiderzeemuseum.nl

Fotoverantwoording | Photo credits

Aero Lin: omslagfoto; Alterra Wageningen: blz. 61 (b.); Besseling Installatie: blz. 150 (b.); Henny Boogert: blz. 88; Julia van den Bosch: blz. 86; Boskalis: blz. 120-121, 125; De Peyler Projektontwikkeling bv.: achterkant omslag (flap, 2e foto); Karin Broekhuizen: blz. 145 (b.); Floating Dutchman: blz. 89 (o.); Flora Holland: blz. 157; Fotonatura: blz. 8 (Karel Tomei), 19 (Will Meinders), 45 (Wim van der Ende), 57 (Henny Brandsma), 70-71 en 82-83 (Karel Tomeï), 96-97 en 100 (Marcel van Kammen), 102 (b. René van der Meer), 107 (Angelique Belfroid), 108-109 (René van der Meer), 110 (m. Jaap Hart), 115 (Fred Hazelhoff), 146-147 (Aad Schenk); Frans Beek: achterkant omslag (flap, 3e foto); Frans Hals Museum: blz. 49; Groninger Museum: blz. 138 (l.b.); Heemkunde Ravenstein: blz. 112 (b.); Heerema: blz. 127; Herdenkingsmunt: blz. 133 (m.); Hollandse Waterlinie.nl: blz. 34-35, 36, 41 (r.), 42 (b.), 42 (m.), 43; Cor Kuyvenhoven: blz. 126; Tom van der Laan: blz. 15 (o.), 16 (m.), 17, 48 (m.), 62 (m.), 84-85, 89 (r.b.), 98-99 (b.), 101 (b.), 103, 104-105; Loodswezen Rotterdam: blz. 32; Maritiem digitaal: blz. 72 (o.), 73; Mauritshuis: blz. 144; Meuzelaar, antiquariaat: blz. 37 (b.); Ministerie van Verkeer en Waterstaat: blz. 130 (b.); Museum Lambert van Meerten: blz. 40; Nationale Beeldbank: blz. 10-11 (Johan Bosch), 46-47 (Chris van Daalen), 51 (Peggy Patricia), 54 (m. Viesereine), 66 (Janny Soer), 90-91 (Berbara Houweling), 92-93 (Jan Kranendonk), 94 (r. Henriette Veld), 94-95 (Marc Kruse), 99 (Viesereine), 148-149 (Tineke Jongewaard), 150 (m. Berbara Houweling), 154 (m. Docufact); Nederlands Watermuseum: blz. 112 (o.); Nederlandse Kastelenstichting: blz. 37 (o.); Het Nieuwe Water: blz. 156; Ooms Avenhorn Holding: blz. 155; Hetty van Oordt: blz. 2-3, 4-5, 6-7; Panorama Mesdag: blz. 142; Duco Wouter Pieterse: foto auteur, omslag; Plastic Soup Foundation / Odi Busman: blz. 58-59; Port of Rotterdam: blz. 81 (b. en o.); Rijksmuseum: blz. 41 (l.), 134-135, 136, 139, 141, 142, 143, 145 (m.); Rijkswaterstaat: achterkant omslag (flap, b.), blz. 12 (m.), 14, 15 (b.), 20-21, 22-23, 24, 25, 26 (l.b. en o.), 27, 28 (o.), 29, 30-31, 33, 60, 79, 80, 111, 124 (m.); Rijkswaterstaat / AHN: blz. 32 (o.); Marjolein van Rotterdam: blz. 12 (b.); Marieke van der Schaar: blz. 54 (b.), 61 (o), 62 (r.), 90 (m. en o.), 110 (b.), 114 (o.), 117; Simonis & Buunk: blz. 55, omslag (flap); Nel Slager: blz. 28 (b); Smit Int.: blz. 128-129, 130 (o.), 131, 132; Spaarnestad fotoarchief: blz. 48 (b.), 56, 65, 87, 152 (b. en m.); Stadsarchief Amsterdam: blz. 63, 64, 74 (b.), 76-77, 154 (b.); Stichting De Noordzee / Marchien de Ruiter: blz. 62 (b.); Stichting Histoarysk Wurkferbân Gaasterlân: blz. 114-115 (b.); Niek van Suchtelen: blz. 151; Universiteit Utrecht: blz. 18; Vesting Bourtange: blz. 38 (m); R. Vrielink: blz. 118, 119; Warkums Erfskip: blz. 113; Waterlands Archief: blz. 52-53; Waterschap de Dommel: blz. 68-69; Waterstudio.nl / Architect Koen Olthuis: blz. 158-159; Wetterskip Fryslân: blz.116; Wikimedia: blz. 74 (b., l.o. en r.o.), 75 (b., l.o. en r.o.), 90 (b.), 136 (o.); Woonbootmuseum: blz. 153 (b.); www.pbholland.com: blz. 86 (b.)

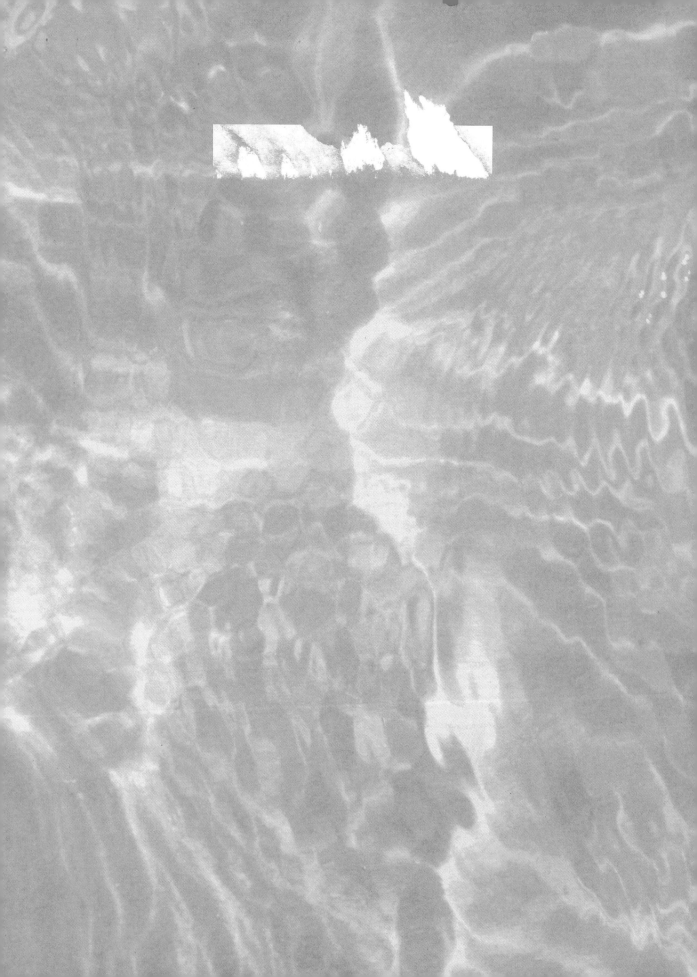